詩創作五十年紀念

春之海

上官予著

文史哲出版社印行

國立中央圖書館出版品預行編目資料

春之海 / 上官予著. -- 初版. -- 臺北市 : 文史哲, 民８１
面 ;　公分. -- (文史哲詩叢 ; 6)
ISBN 957-547-125-3(平裝)

851.486　　81002122

文史哲詩叢 ⑥

春之海

著者：上官予
出版者：文史哲出版社
登記證字號：行政院新聞局局版臺業字五三三七號
發行人：彭正雄
發行所：文史哲出版社
台北市羅斯福路一段七十二巷四號
郵撥〇五一二八八一二彭正雄帳戶
電話：三五一一〇二八
印刷者：文史哲出版社

實價新台幣四〇〇元

中華民國八十一年六月初版

ISBN 957-547-125-3

前言

八十年春夏之交，詩興泉湧，完成「春之海」爲題的一系列「海」詩，欲以「海納百川」的有容乃大，將海的宇宙之韻律，表現於微末的詩中。海的另一種面貌，無疑是愛的抒情，夏秋之季，續寫「風雅四十一」，其中除選入國中國文第五冊第三課的「一隻白鳥」小詩外，餘多新作，流露我近時的生命觀照，以及心靈感受。可說是「海」涵溶人生多義性之景象。「鄉謠之什」是我嚮往民歌素直眞誠，熾熱率性的音色。海的奔放自由的風格，是我衷懷戀慕的；我亦喜歡掙脫壓抑，一吐憂悒的聲音。欣賞鑽出泥縫石隙的小花，稚嫩嬌弱的淺笑。美若淪漣蕩漾，淸月上下。卷四「九歌」是兩三年前的實驗之作，嘗試新舊觀念融情入曲，雅俗並陳；使古典與現代相繆，在舞臺上演奏民族格調的佳構，是我的願望。

卷五「詩緣小記」後，輯入劉垕、趙滋蕃、顧獻樑、于還素、古遠淸諸兄在不同年月中寫給我的眞誠的批評，期望我在變動的時間裏，不斷的進步。現在錄在這裏，也可以看出來我過去創作新詩的歷程，並感謝他們的美意。

「春之海」是我第十六本詩集，烙著我思想與情感的印痕。在我創作新詩五十年的里程上，希望是値得紀念的珍貴的紀錄。

感謝彭正雄先生精心策劃，爲我印行這本詩集。

封面採用王詩媛新畫「湛」，以表現純淨天然之美。

春之海 目次

卷壹 春之海

壹 海雲……三
貳 明月……四
叁 月波……六
肆 獨唱……八
伍 海鷗……一〇
陸 海天……一二
柒 海憩……一四
捌 海波……一六
玖 海港……一八
拾 海訴……二〇
拾壹 海雨……二二
拾貳 海濤……二四

拾叁 海觴……二六
拾肆 海瑟……二八
拾伍 海向……三〇
拾陸 海行……三二
拾柒 海域……三四
拾捌 望海……三六
拾玖 海市……三八
貳拾 海唄……四〇
貳壹 海辰……四二
貳貳 海景……四四
貳叄 海濱……四六
貳肆 海韻……四八
貳伍 海納……五〇
貳陸 海途……五二
貳柒 海島……五四
貳捌 海貌……五六
貳玖 海別……五八

叄拾 海季……六〇
叄壹 海歌……六二
叄貳 海魚……六六
叄叄 海應……六九
叄肆 海疇……七二
叄伍 潑墨……七四
叄陸 海瞰……七六
叄柒 海顏……七八
叄捌 海掌……八一
叄玖 面海……八三
肆拾 一隻白鳥……八五
肆壹 海鄉……八七
肆貳 海潮……八九
附錄 海與白鳥……九〇
卷二 風雅四十一
百媚新綠……九五
千種相思……九八

一抹微雲……一〇〇
中天月色……一〇二
月下弄笛……一〇四
千泉湧出……一〇六
穿花蛺蝶……一〇八
說到深情……一一〇
遺忘不能……一一二
怎能遺忘……一一四
安於遺忘……一一六
實難遺忘……一一八
神奇的樹……一二〇
樹等待誰……一二二
樹的怨慕……一二四
樹的堅貞……一二六
大地之頌……一二八
仙人掌……一三〇
鷹……一三二

蘆芽山高……一三四
蘆芽哨音……一三六
告別童牧……一三八
走過洪同……一四〇
水母娘娘……一四二
國士之殤……一四四
蝴蝶之貽……一四六
煙雨朦朧……一四八
走入古老……一五〇
錦瑟……一五二
月有聲……一五四
寂寞……一五六
白蝴蝶……一五七
無花果樹……一五八
紫色……一五九
音緣……一六一
有風走過……一六三

春泛之外……一六五
樹的歲時……一六八
雨……一七〇
月牙兒……一七二
光照……一七四
卷三 鄉謠之什
石榴花燈……一八〇
西口荷包……一八二
花上帶花……一八四
想情哥 想卿卿 天天刮風 大同府 花上帶花
藍花花……一八六
四個鸕鸕……一八八
刮野鬼 小路 挑水 娶她
金不換……一九〇
北方 割油麥 種莊稼 金不換
東山蘋果……一九二
唱山歌 四多 十字坡

走絳州……………………………………………………………一九四
卷四　九歌
大觀念重歌劇……………………………………………………一九九
卷五　詩緣小記
詩緣小記……………………………………………………………二五三
劉垕兄最早的一封信………………………………劉　垕……二六五
趙滋蕃兄評「自由之歌」的來函…………………趙滋蕃……二六八
與上官予談藝論詩……………………………………顧獻樑……二七三
論上官予及其詩………………………………………于還素……二七七
中國的現代詩，現代的中國詩………………………古遠清……二九四
上官予著作目錄……………………………………………………三〇三

卷一　春之海

卷一　秦之書

海雲

墜入密林
黑鄉深處
雲海綢繆
柔若無骨

並蒂蓮花
雪豔芙蓉
圓月回眸
滿懷落英

明月

如若世間沈淪黑暗
你的眼睛　能把垂死的宇宙
燃亮
如若海濤的掌聲湮滅
你的耳語　便是清澈的
音樂
引我走出冰山
撫慰心的創痛　溫柔的
明月
邁過沙塵　枯萎的荒徑上

千朵萬朵開滿 繁花的
喜悅

月波

如此素淨明豔的水波
粉蝶兒輕唄著月光
脈脈的雲　漸漸舒展
又纏綿的解脫

瑩媚的珠鑽跳落玉蓮花盤
嚶嚀的笑語　滴溜溜的
圓囀　乖巧　快捷
帶走綠色的音符一串

瓊花並水花疊放
碧波把人世的滄桑遺忘
歲月依稀　回首囑咐

但見天海渾圓
浴著一片朦朧

獨唱

海上的月色如霜
盈盈的星子垂下來
把你的名字點亮
每一朵款款的浪花
都閃耀著你的夢想
彷彿輕搖的玉環
低喚　在你黑髮的耳畔

晨霧漸漸疏散
青青的水波斜斜的擁過
我的思念　伸開千手
以茉莉花淡淡的淺香
引你走出迷離的睡鄉

於小樓的窗外
舉起暖暖的金陽
還帶給你郁郁的芬芳

海鷗

海鷗環繞著你飛翔
在你獨居的小樓上
小樓像船追逐流星
窗外有風雨走過
是絲竹的吟哦
水仙花開海波浪
閃著藍亮的光

花影在窗外消瘦
你畫境的遠山沉黑
夜裏著一件鷺袍
窺你浴淨天鵝的羽毛
看你入睡　沈入香甜

潔白的芙蓉
有千般風情

我聽到你快樂的笑聲
你奔跑如急湍的溪流
擁抱著絢麗的夢
一種迷離的愛情

窗外月落星沈
只有清涼曉露
螢火引路
帶你走出夜的叢林

海天

海站起來迎接著天
以青翠透明　幽邃的寶石光
以靜謐閑雅　澄澈的眼睛
如芥子的空明

天俯身撫慰著海
以冷冽的蟾魄　敻碧的鶴鶬
以長闊舒展　淵深無岸
光滑如瓷彩的滄波

雲霞　火燄的紅菱豔
清潋　光電的波溯霓
桃色的唇　黛綠的眉

·13· 海天

閃亮的黑髮　月牙兒的手膀
相與纏綿
交互擁抱

海天是圓融的太極
天海是晝夜的乾坤
跪拜起坐皆是佛相
波紋湧湛蓮花座

明月星河
飲吮輝煌
無盡的風韻化做了甘醇
澆灌千山萬壑的心靈
海天連成一線
大地映現接吻的形相

海憩

海是張溫柔的床
藍絲絨做的
搖曳生姿的墨竹
柳眉杏眼的垂楊
孔雀與鳳鳥的碧梧
棲老鷹鴿的蒼松
顫慄的素手
綠野的風笛

海是酒醉的水手的眠床
睡成南北縱橫的港樹
是孤獨的流浪者的夢想
隨流水而去的　故鄉的

園子　園子裏的水塘
水塘邊的水仙花
顧影寂寞

海睡在翠玉蒙蒙的床上
月夜裏　一覺睡到天亮
星子落在海裏
激起珂鈴的回響
浪花妝點晶瑩的衣裳
獅群展演奇彩的玄黃
迎向古銅色的光波
心花怒放　雲翼的鷗歌
啊　燦爛的朝陽

海波

寤寐滾轉的轆轤
風車追逐的月光
百合花開的手膀
輕拍著搖籃裏的波浪
半陰晴的山巒
反覆的丘壤
連綿不絕的海籟
柔細的風　卷耳的雲
起伏天地的長流
海鷗嘯起激盪的夢波
雪濤扣弦而歌

倦了 紅玫瑰的夕陽
棲息在仙人掌的巉巖上

黑色的蝴蝶
星月的花朵
孤獨有寧靜的戚容
鄉愁是寒冷的鴻爪
你我的耳語
甜蜜而苦痛
沈沒海底
無人聽到

海港

疲憊的水手
要找尋安恬的港灣
被圈入的身心
承接你的問候
注視月升起
爲宇宙唱溫柔的歌

古老的歌
來自蒼涼的沙漠
經過艱苦的跋涉
看見海的源頭
一管細細的笛音
原是靜女之所貽

冰山傾頹　大海擁抱
星辰醞釀的是雪崩
冷寂於無底的曠野
那兒麥浪在微風中輕搖
如依稀的夢境

圍繞著我
月的光環
微溫的撫觸
使我傾倒

時間的沙塵
凋零了青春
那睡在你懷中的
是一個重來人世的稚嬰

海訴

渾淵瀚漠的滄波
沈潛湧騰的溫柔
因愛而搖曳的珊瑚
波動星河的旋律
奇美飄逸
圓融的宇宙

翻覆呢喃的傾訴
回應瑩澈的閃耀
孌婉的雲的花蕾
低迴　游轉　環繞　激盪
瓊枝翩然展放
使我的夢魂飛揚

你尋覓的一個約會
明月 玲瓏無邊的天空
繁星的珠濂 快樂的閃爍
溫熱了我冰寒的靈魂

夜 隱藏於波影交錯
萬流因奔決而徜徉
無主的霰霙迷離
海擁礁岩入夢

海雨

浪起伏摺疊　輪唱蓮花落
雨的風琴手演奏交響樂
過一山又一山山山不斷
走一嶺又一嶺嶺嶺相連

樹的行列挽著叢林的臂膀
星光與星光耳鬢斯磨
叮鈴的銀鈴叮鈴響
戀愛的故事說不完

雲豹踏雪的節奏
揚起弧形的音韻
翩翩的蛺蝶留連

霏霏的揚花飛滿天
湧動的鯤鯨
裂岸的驚濤
舞踊的魚族
瑟縮的岸礁
一簇簇灰色的鳥群
投向燈火熄滅了的
遠方

海濤

海已褪入憤怒的淵藪
燃燒藍色的火燄
吞噬犬牙交錯的巉巖
凌越雪嶺的冰澌
撲啄山峰的險巇
傾巢而出的鷹鷂
穿梭烽煙瀰漫的沙塵
飆風伸張巨靈爪
撕碎雲翼的飛蓬
使之四散失群
這不是恐怖的魘夢
是河伯背起大地與天空

向無邊的宇宙奔逃
要找尋一個愛的場所
把夭桃　玫瑰　海棠　雪梅
獻給淺紅與深紅的春嬌
伊守著搖籃裏的童嬰
遺忘悠長的歷史
歷史的創痛與沈淪

海觴

無法保有昨日的花朵
時間的飛翔如逝波
你因寒冷而卷縮
回到澀谷的漩渦
那裏是煙是霧
是木然於寧靜的滑落
山歸暮色的淒楚
平林漠漠的憂傷

悠悠　向東流去的江河
全注入無情的海洋
疲憊的豈是過盡的千帆
爲夜才發光的星月

面對著滾滾的浪濤
不因滄田而失約
情深於無限的春秋
你安排美夢
也創造了寂寞

海瑟

海上瑟瑟的筑音
一波波揉皺碧紋
無風雨的澄夜
漫平起伏的滄波
是多情的明月

渴望海的濡沫
我的心　崎嶇的荒城
於浩蕩的怒潮
尋覓幽蘭的溫柔
於層疊的靈巒
嘯歌海鳥的悲愴
於千迴百轉的翻摺

洗刷人世的污垢
掬水花的潔晶
如貓兒的舌和手
洗淨嫵媚的臉容

我看見海落入無涯的懷抱
向無岸的天地探索
無邊際的繁花開滿海面
煙霧迷漫間一葉孤舟
我航向渺茫的白雲

海向

黑髮的海流著
掀起白色的波浪
黑色的時間沈入海洋
星月把銀霜燃亮

告訴我　海流向何方
是大地的肺腑心臟
是山川的四肢脈絡　還是
偃臥起伏的沙漠

是誰給的紫藍黃白
柔順的黑髮的海洋
爲什麼風起時的波浪

能把渴望愛情的世界淹沒

這原野油綠的桑田
海的黑髮之變奏
雲湧滄海的樂曲
送隨浪而行的船到天上

告訴我　啁啾的鳥歌
那裏是海的故鄉
水手刀可以劃斷柔腸
能否劃斷海流的方向

海行

我看的是滾滾的浪
飲的是濃烈的風
喝的是滔滔的酒
流的是火熱的血

揮灑淋漓的狂草
舉起森林的刀叢
穿霰霙而飛騰
於雨電以浮沈

水花跳起來
彷彿嬰兒的小手
要抓住海鳥的羽翼

撫弄乳母的雲鬢

水手攀上桅頂
吹起古銅色的海螺
海客拉響汽笛
告訴老遊子返鄉

船身啃噬著碼頭的浪
恰似一隊芭蕾舞團
天鵝俯首跌碎項鍊
做了迎我歸來的花環

海域

海的衣裳是風的翅膀
透明而清涼
無形象的自由又充滿自然的
形象　令萬物渴望
飛翔

海的眼睛是力的漩渦
輪軋於轅轢
金剛杵裂魄的鉅鑽
穿透柔若絲綿強如絕壁的
水域　悍然鍥入地心
深處

飛翔的感覺
落花般虛無
消散了離枝的苦痛
如一葉扁舟失落於雲霧
不知光與音的
遠近

海綰住千古的憂愁
把飄泊的魂魄拘留
聖潔於沉淪
孤絕於焚燒
萬籟皆寂於
無聲

望海

忘川的心事彷彿子夜小提琴的弦音
望海的意境
則是悲愴與命運的交響
有若慷慨的日出
又如落日的沉默
望中的海洋
是天地的乳兒
山群的脈胳
江河的親娘
一個永恒的希望
希望學習到海洋的圓融

在無限的時空
隨自然的宇宙運行
海洋浮沈於乾坤
表現陽剛與溫柔
於震憾生命的歌聲

海市

沈入到海深處
是一片雪花飄
我看凌虛的海龍
比夢的花卉更輕
珊瑚叢因快樂而顫抖
透明於渾圓的擁舞

嫵媚的色彩萬種
交匯於光電的感應
搖曳的海藻飛浮
吞吐著魚族的風謠
我聽銀波的歌唄
飄漾著月凝眸

至柔的白浪
交互而濡沫
凌波的輕雲
貼著水面徜徉
市井繁華的景像
在神秘的深海蘊藏

海唄

跳起來的浪花
捕捉另一朵浪花
素潔白淨的清波
有如愛人的手足

愛人奇妙的情歌
細若微風吟唱
在我耳畔絲摩
回環於潮湧雪霜
要把顛倒的大地翻過
可是海的主張
多少史蹟已埋葬

多少泥沙已沈落
多少山巒匍匐於長流
多少溪澗入海成泡沫
誰在驅使著時間
海洋扮演著什麼角色
當絢麗的色彩褪落
輕拍你入睡的
可是溫柔的月光

海辰

大地已經失蹤
在我脈脈的凝注裏
海洋正隨風而舞

山林已經滅頂
在霧靄迷漫的深谷
海洋昇起了茂密的叢樹

花草已經焚燒
在波平如鏡的瀚漠
海洋開張了一座花城
我的心靈充滿了寂愁

孤獨的命運已經形成
海洋在燦爛的陽光下
逐漸鬱勃於幽暗的底層
守著無邊的寂寞與孤獨
是暗夜閃爍的星辰

海景

蒲公英　迎面來的星辰
在春野上散佈
迷途的柳絮
漂泊的花燈
千萬隻夜的眼睛

怎樣柔潤的波層
聳起絕壁的孤傲
何等嬌豔的面貌
美過撫弄弦音的樹

翩然飄舉的白雲
你因拋棄自我而失蹤

你去而復來的形象
能否固定如山的模樣

你的彩畫垂目看我
豈止是線條和氣韻
於寒寂中昇騰火燄
描繪海洋
結構生命
包含了千峰萬壑的
魂魄神靈

海濱

請細讀楓樹林
秋水盈盈望穿暮色的緋紅
雨前雨後眩目的燦爛
賞鑑菱花鏡裏的櫻桃
聽伊汲水的聲音
於莊園內外的海濱

海鳥繞著叫喚的
並非十三層的木塔和鐵塔
是壓低復騰昇的喧嘩
矯聳如金鉸的花冠
於漫渺的雲影和煙塵
穿透月亮如鹿角和桂樹

昇起碧海的滄濤
海的圓舞
展開於冷硬的礁岩上
風在忘情的鼓掌
向日葵的火輪張臂高揚
亮麗如沈醉的楓樹林
靜默的天驀然回首
散落的星辰
濺起海上白浪

海韻

地心的躍動
是海的韻律
海的韻律
是地心的躍動
宇宙　你雕刻神奇的河
生命　你塑造海的風火山林
浩瀚於永恒的歲月
柔美涵詠著無比的悲壯
月光吻吮你冰冷的手膀
撫慰滾燙的熱浪
你的形象是眞景的虛幻

你的脈流是雪與雲的綜錯
消融於綿綿的白浪
舒暢於淼淼的滄波

晶瑩的霧　玉玲瓏
幽冷的星　震顫的鐘聲
從深谷傳送悠遠的共鳴
交奏於晝夜的藍與黑
急迫與徐緩的節奏
大久而空靈
不可企及的
腳步　激響著
天地的歌吟

海納

千古以來的江河
焦渴於返鄉
山重水覆的沛然
如繁華開枝頭
血脈入心臟

黃河會合黃土的神魄
才亮麗如金陽
長江飲足兩岸蕭蕭的木葉
才有綿綿不盡的春秋

江河起伏
源自細小的泉湧

傾注清冽如醇酒
湖泊吞吐
皆因汲水的深井
承接的是珠淚的星辰
雪崩於太陽的熱吻
冰川沸騰於明月的擁抱
海納萬流的泥沙
化爲浩闊的虛無
虛無與不見污垢的紅塵
只見澄碧的煙波
浮載著無窮歲月
不沈的地球

海途

陸上的每條路
都通向居人的房屋
開了門　關上了門
窗户朝外　引來風景
讓歲月流走

船艦有門窗
爲便於海客上岸
泥土裏埋著種籽
使生命鑽出頭
惟有沈黑的墳墓
埋葬了塵世的苦悶

海洋有無涯的空間
卻沒有半扇門戶
大地 橫著許多鴻溝
也製造出來不息的紛爭

到海上去
沐浴海的淵博的氣息
在風暴裏了解生命
袒開胸膛
接受海浪撲來的撫摸
拋棄孤獨和寂寞
伴著海的呼嘯
唱一首雄偉的歌

海島

瀑布濺起盛大的舞踊
散開女郎們的羽裙
浪花搖醒島的情韻
海自遙遠的地角來
向青青的島獻上慇懃

只爲細看島的面貌
月亮俯首於柔靜
島的臥姿如一曲琵琶
橫陳著半裸的呢喃
恰如伴情人而浮沈
錚然於五弦的彈奏

海的潮汛喜歡變幻
不變的是碎浪的星霜
銀魚條條爭著掀波
歌唱的是宇宙的洪荒

如果島是閨中的怨婦
相思的心境如依依楊柳
柳絲外不是陽關
是連綿遠生的青草
離離的島是芊芊的綠
是歲歲年年的等待
也是海圍周遭的
顏色和不安的症候

海貌

看你飄逸傲岸的風貌
看你創造心靈的圓融
於一傾萬波的無窮
於喧嘩中的寧靜
於平展中的雄偉
於自在自有的巔峰

看你點點的燦金
樹林中蟬鳴時閃耀的翅膀
看你絲絲弄碧的銀光
螢火牽引星河流漾
看你盈盈秋水的顧盼
月霜點染薔薇花瓣落

看你起伏的白浪搖曳的雪霙
漸漸舉起朝陽
萬丈光芒於海上輝蕩

看你經營奇異的愛情
重重疊疊散了還結的堅貞
如何埋葬自己又復活了青春
永恒不死的生命惟你知道
每朵浪花的投射
都孕育著美妙的悸動
如你展示的波濤
悠久博大而透明

海別

我去時將隨你同去
去我夢寐思念的雪鄉
在月華輕吻的山巔
在寒冷而又溫暖的地方

我獨自去時
不帶半點憂傷
消散了英雄淚化了繁星
提著千萬盞宮燈
照亮了海上的淒清
每顆星是一綑浪
把海程開作了絲路
光滑如照過凝脂的明鏡

我歸鄉的腳步
御風而行

我去時　留給你的
是我的一襲青衫
衣襟上留有你的香息
如花有過殘紅
夢有過啼痕

我去時　將這些記憶
都送給了茉莉花的白浪
和一抹輕雲

海季

嫵媚的聲音如花的開落
癡情的藍色海洋
把自己撕成碧玉和白鶴的碎片
向天空索取完美的形象
沒有純然沈默的時刻
我讀著你眼睛的告白
從冰冷的胸膛上昇
沸騰的心靈　湧動的地火
翩躚的春風
吹開無主的桃李萬壑
夏是綠眼紅眉的鸚鵡

難耐烈日有如鄉愁
秋水如酒 不止於微醺
澆灌海客的旅塵
暫時可忘海的緯度
告訴冬來的寒流
雪花歌唱蕭蕭的白楊
訴說皓月下的歸程
海的藍已暮
化爲深墨的幽獨
閃著星光的是海的暗流
通向夜天的高處

海歌

是擊壞而舞的陶罐嗎
黃橙古拙　厚積了塵沙
是敲夢而歌的瓦甕嗎
灰黝殘缺　垢膩著泥銹
經過千萬年的踐踏
不曾見輾轉反側
千萬次的狼煙焚燒
依然絕對沈默
黑的洞穴　黑的窩道
黑的衣裳　將你包裹圍困
大氣澎湃　向光電迎撞

碎如齏粉　從四方擴散
是高山頂的積雪嗎
比金鋼鑽還難消融
是深潭底的堅冰嗎
比冷星還要凜冽

那恒古的積雪
是晶瑩的孤獨
那無岸的堅冰
是熠爍的寂靜

睡在純潔的雪峰
曝著火熱的烈燄
袒在巨偉的寒山
浴著萬花的波浪

而愛在遠方流浪
你的呼喚如此遙微
不可捉摸　雲霧迷漫
繚繞著平野蒼茫

我聽到無聲的憂泣
在陰鬱密佈的森林
急雨的腳步　迅雷的閃訊
爭問礦與火　何時交頸

花瓣何時掌握陽光
融化積雪　奔流成河
消蛻堅冰　踴躍爲浪
澆灌荒涼的大漠

我看到一隻歌唱的手
從廣袤的大海伸出

如一支芽苗　一株樹
展開枝葉　迎向天空

海魚

他打從人海中走來。

赤裸著的，我們的身體，
受傷的魚，靜悄悄的沈落；
血從你的胸心，我的脅骨間，
一絹紅紗，緩緩流出，
散落開一頭火燄的美髮，
在那裏，因她的舉步而搖盪。
啊！我的血，快活地和你的流著，
注入這碧綠的深水，
注入在他溶和了我們血液的身體，
注入他的流，纏綿的
漩渦，淡淡的映著

他，繾綣的
眼波。

我的傷口，如你吻別的唇，
張開來，在第四和第五根脅骨間，
溶入他不動聲色且溫柔的眼中；
我的沈落的姿態美妙，
我的膝，正做成一個數字，
那很像榕樹的一個枝椏，
又變成一管豎笛；
而你就是魚的塑像，
就是珊瑚的柔條；
唉！我親愛的親愛的昨日，
正咀嚼著今日的一片雲；
而你正感謝著一饑餓的
獅子鬃，和他那有著勾刺的
觸鬚的擁抱；

一種甜蜜的纏繞，和
無情的鞭箠！
唉！你金黃色的一千條長臂，
正做成了我的最後的夢，
玫瑰花，開放在全身。

註：獅子鬃，是一種極大的水母。
是海上的魔鬼。

海應

一

挖出我心
依然看見你眼波凝注
依然覺知你撫慰溫存
纏綿於我的身體
如此綢繆

我的身體輕於鴻毛
在碧波上飄浮
水是你的蜜吻你的擁抱
水是嬰兒的嫩　花的嬌
水是晶瑩的淚
流經熱的紅唇

二

山巔上　古松下
我躲避烈日的煎熬
只要雲散月出
我依賴的依然是你的容光
霏霏的洒落
細微一如萬古以來的薰風

三

挖出我心
埋入黃色黑色赭色綠色的土壤
依然看見你癡癡的探望
鑽出寒冷
成芽成禾成樹成林
一經你手
便成爲萬頃的波濤

將此乾枯的世物浸濡
圓融一如你的回應

海疇

你永遠猜不透
朝陽躍昇之處
於玫瑰的香唇
野原的迴音
山巔的崩雲
海上的驚濤

環抱住整個宇宙的圓心
湧起山林和農野的風景
叢葉濃郁於爭辯
總爲一聲嚶嚶的鳥鳴

望著去了又綠的流程

藍天是歲月的眼睛端靜於層層的擁抱
遠山濃淡因緣於自然
守護著繁星
侍候著早春

晨曦有少女浴後的新鮮
田疇袒開波動的心靈
青澀圓熟
荒蕪遁走
我們的花季　舉起
金光閃爍的市鎮

潑墨

如果你是潑墨
月傾斜　雪晶瑩
濛濛楊花　瀰漫山谷
匝風樺樹有千手
等待鳶呼鶴應

如果你是潑墨
重山疊翠，萬壑幽深
一朵小花花蕊初醒
如未經柔吻的芳唇
期盼蛺蝶停留
如果你是潑墨

山泉泠泠　清瀲淙淙
濺起白玫與薔薇
映著夾岸垂柳
讓你飄浮　如一葉扁舟

如果你是潑墨
晨曦初展　青葉金黃
夜的眼睛墜入深海
使之碧沈而黑亮
你是一抹輕雲的微笑
隨藍天而飄颻

海曒

朝曒湧起
桃林沐於火焚
夕暉湮沒
孤煙裊繞大漠
月盈於怨慕
我是漫漫平疇
月落於靄霧
我是淼淼長流
海波盪漾於灩瀲
自我的無主　一葉扁舟
怒濤翻騰澎湃

自我的山巔　赫然雪崩

峰頂上的白雲
滄桑變幻於古今
原野上的花樹
吟哦於焦慮的時空

風是你的聲息
水是你的姿容
陰影是棲停之所
夢是羽翼飛翔的地方

心靈溫熱於金色之火燄
開啓我思想的窗
血液潤澤於銀色月霜
從我透明如光的情思濾過

海顏

一

我喜歡你的黑
秀髮的柔順
眼眸的陰晴
幽蘭芬芳的美夢

我喜歡你的白
臉蛋兒泛出淺紅
凝脂上的暈痕
喜愛圓潤的素手

二

飄過海上的

那朵頂好看的雲
那麼輕　那麼柔　那麼綿
他留下一個淡抹胭脂的笑

海上的青青柳色
搖曳著依依的問號
頂寂寞的是海上孤舟
頂難忘的是你的回眸

三

你說我是孤獨的
就在門上加把鎖
從氣窗望出去
能遠眺藍天的虛靜
逐漸暗淡的山林
瞬間明滅的星月
如你的眼眸和面容

永不凋謝的海笑

當流逝的一切
從空無裏甦醒
在破曉的明豔中
殷切的問候
是海鳥們的口哨

海掌

細看你的手 不由令人驚歎
白蓮與白蝶的 落花如
李花杏花 濃淡相間的董花
落在掌上的茶花和白蘭
是你的手 手指如花瓣
在我掌中 你的手 如輕歎
告訴我 桃花曾在你掌中絢爛
櫻花落時 變成春泥的粉雕
菜花黃如童年夢 夢中花樹
曾掛滿燈 掛滿數不完的星辰
當藍天俯視春花的大地
楊花幻成千萬顆晶瑩

瓊花冷豔　菊花清逸　梅花
香郁　霜花凜冽　雪花淒涼
以及　湯花明滅　煙花聚散
你的掌紋繡出一座花壇
萬花結匯爲你紅淺白深的
芳容　映著你的青春　你的
歡喜　你的淚和憂愁

在你掌中　心思透明如白羽的
紋路　網住疏離的生命　歲月的
綢繆　一種矜持的超越　嬌癡的
搖曳　溫柔的伸展　愛的顧盼
如杜鵑　杜鵑纏綿在你腮旁
風荷　風荷亭亭在你窈窕的身上

面海

在愛苗的情愁裏
澆著淚的雨
時間在雨裏萎謝了
卻開了這朵菊花

仍然面海癡立著
終於撒下晒了一季的網
潮泛中網不著魚
卻溜走了浪花般的春光

菊花的香瓣
怎麼像極了漏下來的月色
睡在那裏的是條小徑

從小徑回頭
卻已是四十年前的往事了
海永遠有他不變的個性
藍蔭蔭的那樣涼爽
天也一樣　總讓星子開了又落
走了又來的風也一樣
卻老是貼著海面經過

一隻白鳥

太陽從山巔昇起
展開在無涯際的海面

一隻白鳥
貼著翅子像背著雙手
從金色陽光下走過
他踱來踱去
選定了個適當地方
面海而佇立
海上閃爍波光
早潮舐著沙灘

小小的他

只專心地瞭望著
遠方
他看到了什麼
渴望的藍色的眼睛
脈脈地　凝視出神
他的眼睛把夢想燃亮
燦美如星

熱血亦如踴躍的旭日
凌空而飛騰
他毫不猶豫
展開那長帆似的雙翼
微微向上傾科
在藍空滑行
一瞬間　翻出雲端
向遠天逸去

海鄉

我們去訪鄉景
那裏沒有市塵圍困
只因風月閑靜
我們在微雨中散步
一路燈爍回向木屋
微風吹過窗口
送來幽香清芬
青石小徑　遙遠了跫音
耳語的是你的柔情
怡悅遊子的心靈
有人移植了一窩椰樹

鳥巢上　住著獨眠的曉星
我們把花圃壘成一座花城
引小河穿過窸窣的竹林
讓松蘿爬滿土瓦的牆頂

寂寞化成一片水音
我們靜坐廊廡遠眺
大海注視你默然的眼神
疊浪摺成跪拜的香客
山寺隱在煙雲中

海潮

在乳白的黎明，與橙色的黃昏，
珠花如崩雪，濺開在天涯。
我聽到寂寞迴聲，震動我吊鐘似的心之夢。
從太陽到月亮的水晶球，
天涯小舟如瓶塞的飄流。
只有這碧波翻著時間之書，輕撫著海灘，擊打著岩礁。
只有它，不眠的幽靈；
把這無言的世界包容。

附錄

海與白鳥

我的家鄉在晉省西北方的僻遠地帶。

敕勒歌的快板旋律，引來山聳海立的呼喚：敕勒川，陰山下。天似穹廬，籠罩四野。天蒼蒼，野茫茫，風吹草低見牛羊。當年斛律金銅鐘鐵鈸的歌聲，於鋼烈的沙礫中飛昇，高歡躍下虎座，展臂胡旋，蹋腰踢腿舞蹈。奶酪瓊漿，羊肉脂膏，燒酒甘辣，麥餅葱香，儘都溶入了佻達昂揚的鼓吹。皓月低窺欲驚欲騰的毡帳，帳頭金黃圓頂，在千盞燈光圍繞中閃爍。野原上燒起篝火，兒郎們的群舞歡鬧，有如遍野怒放著春花。

荒曠上的春花，原來是海洋的夢。

春暮靜靜生長的秧苗，一汪翠綠，有若柔曼斯磨的海波。初秋擁擠的麥禾隨風倒，陣陣香，有若廻漾搖曳的海浪。起伏重覆的叢樹，疊層濃密，有若洶湧喧嘩的海潮。巉巖絕壁的山岳，奇峭峰崚，有若狂飈颶雨的怒濤。稚嫩的秧苗，翩翻的金麥，簇湧的莽林，連綿的山岳，在海洋浩瀚的面前，變幻萬端的夐妙，幽深，動盪，渺闊的奇觀；滄遠浩渺，淵溥沉漠的景況；驚魂駭魄，顛倒乾坤的風貌；皆是自然的韻律，萬籟的節奏，形象的色彩，氣體的流行。時空在此並存，天地在此合一。海洋乃成爲無可限制，不可規勒，絕無粉飾，斷無沾滯的圓融的美，充實於此萬能的總匯。

自由，海洋乃是難以量度的象徵。

是人生至眞切，至崇高，至遠大的理想之宏鵠。

一隻鳥，亦有它自我的或忘我的追求。

追求美麗的遠景，是生命賦予的認知。

一隻白鳥，是純潔的代表。是詩人無遠弗屆，無所不在，伸手可觸，而又是長遠的觀念，自由而且純潔，單一的美，原始的渾然美的透視。雖然，美的基準難以素繪，但是，一隻白鳥，沒有繁複的詞藻，沒有晦澀的意象，沒有特出的形式，沒有表達上的幽邃曲折。只是清淺，只是文靜，只是簡單的結構，只是平易的人與鳥合擬的開展。詩的焦點只是一隻白鳥，要飛向無邊岸之處。如明月於無涯際的藍天，於波層起伏的大海。沒有設計的哲思，只是思想的無限自由，意境朗然的擴展。一個坦誠溫婉的情景，一個愉悅和善的預示，一個舒徐悠揚的節拍。

海，千變萬化而又定乎於不變。月浮海上，花開海上，風憩海上，雲游海上，水鳥在海上遨翔，金陽在海上彩繪，夜星在海上流漾歌唱。海守著夢，夢沉落海底，和海藻魚群訴說逝去的時光。海呑吐江河如圓荷呑吐露珠，海容納季候使旦暮來去不留痕跡。燈火明暗而柔魅，看長鯨吹霧，舳艫入港。山蹲樹踞，讓暴風雨通過。

晨曦在天邊接引一把熊熊的野火，朝陽驚起萬道灼灼的金光，於眾生的讚頌聲中，以悠久博大的光明，爲人間降福。

一隻白鳥，情脈脈凝視晴空，展翅，以專一眞誠，以美曼潔淨的飛翔，向人間訴說，自由的無限，無限遼闊的遠景，使藍天與白鳥自然相融。

一隻白鳥小詩輯入「愛的暖流」詩集卷一「四季」中。「愛的暖流」商務版，印行於六十七年，六十八年獲國家文藝獎。本集另輯有卷二：紮根與開花，卷三：救溺者。

一隻白鳥有文曉村著「新詩一百首評析」及超群與翰林書局出版國中國文課本之解說種種，在此不述。

本文原刊於八十一年一月七日中央日報中學國語文「課本上的作家」專欄。因爲以上的因緣，本書乃重入「一隻白鳥」爲海的訪客。

卷二　風雅四十一

百媚新綠

枯槁的脈絡顫慄
窒伏的沙洲燥急
泥土輾轉反側
木然的樹肅立
一蕊新翠　含苞而
綠　招迎野麈　沁人心肺的
綠　你使春光軟困春風媚

你使酸澀的眼睛
由湛然的藍　渾然的棕
變化爲黑的水晶　冷寂於
熠然的　綠的火燄

女媧垂下雙足　自明月
義和露下光　自蒼穹
沃土自井底仰望
無聲的歌　無言的音
佔有宇宙　無邊的荒涼

灰燼因記憶撲起翅膀
海的花朵　搖曳的風
鬱鬱的遠景　蒙蒙的芳草
鯤鵬的翅膀　天鵝雪
閃亮的星辰　在蕭蕭的
森林之上

山巒臥成萬仞
銀灰的夜色流動
匯成懾魄的麥浪的金黃
相繆於淺深明暗的時辰

離奇一抹馨香　宿露
掛在晶瑩欲滴的枝頭
盈盈回顧　百媚的
緣　愛的生命

不需擁抱
眞和美已覆蓋了
心神與魂靈

千種相思

古典的風雅　一片朦朧
煙雨斜陽　漫過時空
芙蓉鏡照閨秀
一瞬間　化爲落英

黑髮渦流
沈入幽魅的暗影
溫潤細膩的素手
纖在柔波上的眉頭

蓓蕾舒展於緊密
使堇花入夢
花容有萬種形相

亭亭圓荷一朵　婀媚了晨昏
清溪潺潺流過
自吟如自彈的鳴琴
水面　珠連成串
是天然的晶瑩
晶瑩的情思　翩然入夢
繁星燦成不凋的花朵
只爲晨光而隱藏
夜映夢中山河
山河的波濤　浮沉
一輪明月如
霜　令人冰冷　令人
寂寞

一抹微雲

這一冷凝澄靜的波影
蒼皓如半月圓月的魂魄
你是蠶食枝葉的秋聲
霜楓如花時候　已落紅成陣

一抹微雲　展翼飛去的雁子
牽引成爲一種遙遠的相思
鄉愁來時　正是黃昏
山重疊　逐漸隱去

如若峯塔不能折腰
只能傾斜如暮了的青春
如若河流從此彎過

請慢慢的流　莫要急著走
海的潮汐　醒覺於
黑夜的風笛　月夜的煙雲
迷離中　海鳥的歌
纏綿著一種慾望
比死更強烈的飛翔
濡沐著愛的羽翼
歲月如浪花
脈脈秋水約素

中天月色

雲來時
風已走過
雲去時
風也來過

帶走落花的流水
也帶走了飄零的彩霞
咬住金色垂柳的魚兒
擺不脫彎曲的鉤針

漁火閃爍著繁星
每顆星子搖曳著清脆的鈴聲
鈴聲裏誰在默禱

露珠是記憶的水晶球
中天月色鋪開一地樹蔭
樹蔭裏藏著無數鳥鳴
灰霧在啁啾中換了銀裳
無邊的湛藍 吞噬了
太空 也佔有了
喃喃自語的
海洋

月下弄笛

古銅色的黃土地斑駁
大風掠過萬劫的山河
漠北的鼓聲咆哮
使黝黑的森林顫抖
嶺南的水波潺湲
使瀚海灩瀲清商

斛律金的敕勒歌伴舞烈酒
翻山越嶺衝上雲霄而燃燒
彎如蛾眉的楓橋　在江南
盈盈一水染翠　倩柔
魚戲蓮間的採蓮謠
把滴滴紅艷繪成彩虹

共明月浮沈

誰在月下弄笛
繞纏靜夜無聲
無聲是曲中折柳
哀怨到黃河與長江的源頭

蒼茫北顧　陽關西出
一坵故城的廢墟荒徑
十面埋伏了的青塚
細細悠悠伴著不死的琵琶

星語和花絮不斷討論著
浮雲帶走的訊息
歲晚時的冰雪
煙雨的春秋

千泉湧出

鬱勃是另一種泛濫的鄉愁
海波的心脈跳盪浮沈
弄蛇人以細樂舞踊
蛇兒夢幻已身爲上攀的寒籐

千泉湧出地層
漩轉的渦珠閃爍
萬流自荒野奔赴
訣別的豪邁鑿穿僻壤

花如蝴蝶飛去無跡
雨濕流彩悄然隱沒
蜻蜓點水革碎泥塵

一分幽魅有九種悲愁
大氣嘘成天籟
人籟雜著愚昧的喧嘩

悒韻籠罩江風山月
夕陽衰草伴著丘陵
山外山亭外亭人家何處
那裏有飲了不死的甘醇
誰是流星裝飾了人間樂土

污垢下的歲時可是童稚的夢
斑駁的風雅留下幾許歌謠
窗內的嬋娟守著孤燈
灞上折柳昂揚著邊聲
旦了又暮的流水
是否和淚哽咽的濁酒

穿花蛺蝶

猶夷也是愛情的面貌
在專一和忠誠之外
經過山重水覆的追尋
山中氣象的冷暖陰晴
水上煙霧的迷漫招喚
璀燦後的暗淡
穿花蛺蝶　幽光之一閃
沙漠的仙人掌托起孤舟
於風雷的鼓噪中
舞出一簇碧玉的悲歡
絲路是來時路
也是去時路

杏花倩柔如美人遲暮
杜宇泣血　墜落殘紅
除非你忘懷了
江南江北　故人望穿的
晨昏

卑怯來自遙遠的風信
等待回應是徒然的霜露
因爲晚霞湮滅的地帶
歸巢的只是沮喪的鳥群

搖曳自憐的花影
侍候月出的星辰
彷彿一首失魂的
朦朧詩　尚待解凍

說到深情

蓮心的清怨尚不夠苦
嚐味濃烈的膽汁的鋩針
黃蓮於長劍凜冽的朔風
膽液於匕首的刃鋒

溫柔攀上萬仞
瞬間征服古老的靈魂
淺笑　這降順怒潮的浪花
把宇宙爛縵爲春城

無需一人敵萬人敵的武勇
我要的是脈脈的深情
不要在花樹下張望

走入我心眼的小河
彎彎的把山圍繞

計算華年的俏麗無聊
花繁不禁風雨最易凋零
漫山遍野的景色衰朽
明月松間照　依然
聆視到積雪的心事
是春至的擁抱
把陸沉的樓臺建造

遺忘不能

摺疊遺忘掛在左胸
倏忽聚散無定
向陽的彩嵐繽紛
暗影背面藏慝眞情

告訴我　遺忘壓在掌下
還是落在眉頭
煙滅火熄
斷瑟失去弦音

惘然於黃昏的怔忡
隱去的星辰不知去處
再來的夢境

可有舊痕跡
竭盡淒涼的絲管
歇了迷人的歌舞
遺忘是飄飛的柳絮
逐水的桃花 空庭的流螢
包住的創口 莫撕開
移開的眸子 休凝注
撇不住愁苦 滴不盡淚珠
忘不了酸楚 溢滿心頭
愛與哀並坐花果飄零
風月山水解憂 魚鳥消愁
唯有遺忘不能 恰似
鳳凰浴火後 兀自再生

怎能遺忘

無法拒絕遺忘
因爲愛情鎖定塵緣
回憶使遺忘復活
遺忘的終結者是面對死亡

我甚至甘願面對死亡
面對絲雨　溫柔的訴說
面對流雲　青澀的夢
面對風　宛轉的倩曼
暴烈的飛騰　淹沒
怒潮裂岸　捲上七重天
巉巖糾結的胸膛　迎向
酷藍的火燄　薄如蟬翼的

刀　把時空割成花開花落
如何遺忘　甚至面對死亡
面對凜冽的生之慾
如梵谷割他的耳朵
杜鵑唱玫瑰似的悲歌

童年禾場上的星辰
林邊螢火照著幽影
河水摸上身如慈母的手
而草原　竟是擁抱殘陽
走過泥塵與漢唐的場所

如果泥塵與日月並生
我怎能遺忘

安於遺忘

無疑的　我要望穿你的滄桑
是否來自陶壺的空腹
坦蕩如一座無人的城堡
遙想孤獨騎在馬上
馬蹄蹴著青石空門
躂躂的盧　震耳欲聾

誰的塊壘洶湧著松濤
松濤上是萬古的雪嶺
一輪明月守住寒冷
誰的纏綿擁抱著碧湖
映照奇山怪石的崢嶸
悠悠笛音　隨春風東流

陶壺的棕　色有千種
深海的黑　麥穗金黃
翠綠山脈　鶴頂的紅
玉白的素手　青青一線
如怨如慕　在天涯盡處
寓萬物的形相　如金石

擊壤歌　只爲親近泥土
鑿井而飲　則是愛著陶壺
以圓圓的腹　裝滿
水的流動　以水的聲音
訴說　亙古以來
不能遺忘的衷情

實難遺忘

雨霖鈴　鈴霖雨
定風波　風波不定
瑟瑟蘆荻秋瑟瑟
竹葉蕭蕭水迢迢
琵琶憂怨細細彈
銀瓶乍破金甌殘
心碎於這些悲聲
彷彿蠶兒紛紛在吃桑

秋海棠開放受劫的容貌
因爲它象徵了殘損與國殤
那丹朱的紅蕊點點血
綠澄澄的脈絡　演衍爲

青紫的創傷　在
午夜寒鐵透骨　惡魔於
瓜剖豆分　使我魂魄狂
泥土跟隨我
山聳劍鋌　臥成啞默
水傾顛簸　匯成鄉愁
田野縱橫　九洲匍伏
歲月以青眼看人
唯春事依舊困頓
這些狼藉可以遺忘
遙想當年風華歸去
那人兒青衣一襲
正在東籬的黃花旁
等我

神奇的樹

雲天下　地平線瞻望時空
群鳥燕燕鶯鶯呢喃晨昏
蜜蜂營造重重的窩巢
松鼠如脫丸飛騰跳躍
我在樹底撿拾一些花果
田野伸展四肢　袒陳裸臥
無涯的幽冥　無邊的色香
露珠晶瑩　霧起自腳下
凝散的朦朧　明暗的煙霞
眼前不見的念慮
夢中依稀的聲音

音樂貫通金石而始於木葉
流過風的脈絡　水的吟唱
於氣韻交感的月下融和
你的面貌明媚如畫
在你的覆蔭下
無知無識無怨無憎的解脫
翩然若靈光之飛揚
透亮的羽翼
蛺蝶也能穿過
似遠還近　肅立　一株
樹的風格　在萬物之上
人人認識你　但無法形容
你是這樣　神奇　在
雲天下

樹等待誰

站在路邊的那人是誰
散開黑髮如鳥翼雙飛
張臂仰望　引身体向上
天空曙色　銀灰一抹
晨星如露珠　盈盈欲墜
他站在那裏　等待著誰

旋轉綠蓬　如歌如舞
木葉之中　自成音韻
吸納陽光　蘊含雨露
暮靄撫擁黃昏
落霞攜走孤鶩
皎潔的明月　猶待獻身

他站在那裏爲誰留守
搖曳著獨白的蒼茫
雕刻著歲月的寂寥
繽紛的花朵點染錦繡
離離的碧草湧動禾疇
聳立的軀幹如高峰
綻放的千眼　瞭望
歸人　埋在沙塵中的跫音
傾聽千山萬水的呼聲
無懼於風霜雨雪的嘲弄
安寧於奇麗的夢想
站成人間　壯美的
風景

樹的怨慕

大地傾聽萬物的誕生
你傾聽大地萬般的波動
天空俯視渺小的大地
你仰望星雲卷舒
光影交錯的天空

木葉中　端坐千手千眼的觀音
千手握鐘鼓鈴鐸撚管弦
千眼眷盼雲氣星河以相應
四面八方穿梭的風雨
演奏宇宙怨慕之歌

你的軀幹獨立如金鋼杵

沒有花朵的柔婉與嬌巧
把虬結的根株埋入地層
伸展鬍鬚如箭簇
鍥入地心發出金石聲
回響木葉　琴瑟和鳴
向遠方　漫山遍野的行程
跋涉千古　如一苦行僧
如川流之於海洋
形成無盡的樹林
撒種於山巔與丘谷
於山崩海嘯　揚
黑髮　捲起怒潮　如地震
把醜惡的暗夜翻倒

樹的堅貞

有誰看過一首詩如一株
樹　那樣飄逸與鬱勃
翡翠的綠　火燄的紅
切切私語　蕭蕭悲鳴
顚倒纏綿　相與呼吸
那專一志誠使人肉飛神動

所有的詩畫有樹
憂思的樹是悲情的絕頂
山不厭高因爲山頂有樹
海不夠深因爲海底有樹
樹生長於大地心中
殘落時冷若冰雪

新生葉熱如太陽
大地滋養樹以滌蕩沙塵
樹林撼人心靈的堅貞
不在乎隔與不隔
而結構爲人間瑰瑋的意境
但罪孽的斧斤砍伐樹林
樹林哭泣的淚珠
使蜂房與鳥巢飛散
風起身繞過地球找尋樹
水環山麓找尋樹的蹤影
原野覓樹　因爲
樹是自然的天使
樹的果實釀出葡萄酒
也收成人生的美與榮耀

大地之頌

——題李奇茂的畫

十五隻哨吶
翻過巫山十二峰
千里江陵　啼不住
兩岸猿聲　落木蕭蕭
黃河之水天上來

左驂右乘　人五人六
月琴彈的是長河落日
二胡拉成大漠孤煙
獨不聞冰泉幽咽
嘈嘈切切遮面的琵琶
伴著絲路開了花路

頑石也欣然點頭
　胡笳歸於邊聲
讓風沙起落如蓮花

銅鑼響著河山的塊疊
鼓鈸喊出大地的不平
悲歌四起　烏鵲驚飛
亂石崩雲　雪潮打孤城
俱往矣　千古豪傑
無覓處　只有
寂寞的風霜　耐得住
樸實的面貌
風雅的詩騷

仙人掌

仙人掌在沙漠上張望
石榴消息 萬徑人蹤滅
滾動的沙石如野馬
邁過蒼茫的玄寂

來吧 雲的垂顧
雨的叮嚀 月華的撫慰
星河的擁抱 以及
沾滯的 黎明的霧

仙人掌夢海洋
燦爛浪花泛銀光
海鳥扣弦而歌唱

海風在波濤上跳舞
霹靂炸開狂瀾掀翻漩渦
把羅列的岩礁吞噬
但沙漠吸納太陽的熱
沙漠浮動孤堙下
龍捲風戲弄沙漠成巉峰
仙人掌如被棄的孤兒
他吮吸水分於地下
冷冽絲絲冰透心魂
緣於他是一種淒愁
不見流水與花影
惟緘默與孤獨
站成宇宙

鷹

颯爽的英姿聳立
牠彎曲的鉤爪如鐮刀
腳腱的韌帶伸縮自如
掌握貼緊巖樹
彈張兩翼車輪轉動
沖霄博扶搖
仰射太陽的烏號羿箭
風起雲湧　大氣爲之顫抖
牠的銳眼　翻開地殼肌膚
寸礫草木的斷層
掃描豺狼狸狌蟻蟲
不讓兔鼠殘存

昂首　披掛如蘭陵王出陣
彩羽錦繡是畫工的傑構
山水的蒼翠　絢爛的雲樹
龍虎的玄黃　霓虹的鳳凰
柔軟鎧甲　細滑的絲緞
令人感嘆而不敢撫摸

因爲風雨和沙塵
鍛練牠的筋骨
成爲金剛的不壞法身
無論在陸上海上
在東方西方
牠都領袖鳥群
站在最高山頂

蘆芽山高

最初牠把月亮擋住
月在中天　就掛在山頭
月斜　山也西沈
山月互相吸引
有若陰陽乾坤

蘆芽山　壁立千仞
鳥飛不到山腰
盪胸的層雲朝暮環繞
爲的是　山堅貞固定
如矗立的地軸
高與天齊　可以摘星

石無莽榛　不藏虎豹
也無猿猴攀援的樹籐
石峰巉巖　犬牙交錯
危乎高哉　登山好比上青天
披枷帶鎖　鐵鍊纏身
皮開肉裂　摩頂放踵
只有祈雨的苦行
忘死捨生　冒險犯難
闖破鬼門關

五座尖峰　托起一座銅廟
雷電雨師　當中供奉
香火燒盡　故事古老
說給秋葉春花
落漠的煙塵聽

蘆芽哨音

昇起純一的哨音
自蘆芽山巔　荷葉坪麓
自鴻雁雁門關　九龍碑大同府
自光的色源　千萬里外
金石其聲　悅耳動聽

曠野朔流波動
長風薄如剃刀
割開散淡的雲
黃土地渾然入夢
袒胸任牛犁踐下蹄痕
切開乾燥的乳峰
讓深井從地心伸出舌頭

吮吸長城下腥羶的泥土
牧童以惘然的眼神
向羊群的疊浪中呼嘯
招迎俯首帖耳的溫柔
如何在羔羊的眼裏
流露諦聽而不解
順從與屠殺可以並存

雲將卷舒風逍遙
鳥鳴花開冬委頓
我將奔過踼躍的馬群
告別荒涼就潮汐
以一支童謠
隨初曉　走上旅程

告別童牧

春風坐在冬雪的枝頭
枯萎把酣睡的綠芽喚醒
靜憩的心靈如曠野
等待寒夜燃起的篝火

去年收割過的麥稭
堆起來與樹梢比高
草垛裏藏過孩童的夢
河堤下　螢火蟲帶路

野蒺在山窪裏燒盡
縷縷攀上冷冷的天空
紅的黑的灰煙聚散

羽化歲月　紛紛脫逃

銀霜灑落滿路繁星
細語叮嚀隨露消失
荊棘纏住沙塵
鶴唳九霄
愁雲慘淡

幼小的心靈　磨娑流浪
流浪的腳步　水上浮萍
在驚魂落魄的魘夢中
猶自徜徉於
牧羊的晨昏
找尋一隻小羊
於　歸途

走過洪同

走過洪同縣衙門
有人在此寫下生活苦痛
愛情是什麼面貌
玉堂春曾告訴過王金龍
歡樂背後跟著憂愁
不知伊的來去症候
實難把握甘苦酸甜
只看伊紅著臉來黑著臉去
露泣牡丹　雨打芭蕉
有愛在心頭
便不畏懼風霜的浸注
大槐樹是掌故的象徵

自老農擊壤歌裏誕生
堯舜禹築土建都城
關關雎鳩規範家庭
漢瓦唐土雕傾國傾城貌
博望鑿空帶回寶馬葡萄
蘇武呑氈飲血生入玉門
楊業戍守代州
周遇吉死節寧武關
多少塵沙蟻兵渡黃河
才有吳姬壓酒勸客嚐
胡旋飛天萬花放
金戈鐵馬的歲月
低眉的深閨少婦
也想像蘇三披枷帶鎖
一步步走過大街的模樣

水母娘娘

不說中山狼　不說桃花源
不講南洪長生殿　北孔桃花扇
說的是太原府　史蹟斑斑的
晉詞偏殿一口水缸上
水母娘慈眉善目端坐
伊的香火最旺
孤苦伶仃小白菜一個
三歲兩歲沒有娘
做了童養媳
招打受罰帶挨餓
四更下山去挑水
五更要裝滿大水缸

挑水到了十七八
出落的窈窕淑女世無雙
一朝挑水上山崗
白髮老驢翁
喝光水兩桶
伊遲歸受苦刑
一連三天身帶傷
老驢翁看了心難過
手把鞭兒送姑娘
入水鞭下水滿缸
婆婆貪心把水來賣
抽掉驢鞭水漫地方
水母娘坐上水缸
倏忽間　修成正果

國士之殤

連著棧道恒山一百八座峰
岱宗巍峨陰陽割昏曉
嵩山逶迤臥成千里長虹
陰山阻擋沙礫風暴
衡山蘊含屈子的離騷
黃山鍾情綺靈睿秀

黃河水九百萬九千九十個彎
漩彎縈洄都是九曲環
長江水的渦流是蓮花瓣
千手菩薩萬尊無量佛
珠江浪疊桂林嶺
黑龍江的長髮纏住長白山月亮

向山膜拜爲泥土
臨水自願做寒星
朔北冰雪凍裂人肝腸
江南煙景軟化人眼光
讀萬卷書需悉袖裏乾坤
行萬里路斯磨切磋人生
當國殤喚醒國魂
從容就義是生命的輝煌
我是片落葉
青色的脈絡猶似新綠
紅色杏花委春泥
點點是山水的印痕

蝴蝶之貽

蝴蝶是洛城女兒對門居
白是戲裏旦角蘭花手
五彩花衣吹笛人
金陽光照耀金沙江
棕是千里黃沙靜無聲

蝴蝶是莊周的怡樂
栩栩然羽化而欣暢
瓊花是春光的寵愛
萬種色香與蝴蝶相像
夢幻是虛無的眞景
雪花的蝶衣爛如春光

沒有女人的形體
比得上蝴蝶的輕盈
在倩女的內心深處
蝴蝶才是愛的象徵
嬌媚是甜蜜的來由
比憂愁更外細緻的情操

溫柔的春雨纏綿
縫綣的是秋水盈盈
山外山谷中谷聲氣飄搖
不是風　不是微塵
像晨曦　又像晚霞
翩翩的蝶群
說人間某個角落
是天地結合的自然

煙雨朦朧

比殘霧還虛幻
潺潺流水　夢中風景
記憶中有棱角的山壁挫手
走過的路　踱過的橋　坐過的船
像隔世那樣模糊

煙雨中　碧陰陰的湖
湖畔依依垂柳　眼波千重
也斜著看人　誰在
短亭　綠瓦紅柱子
水在亭下擁著鬱澄
蓮藕於污泥中藏身
艷艷的花枝頭弄嬌

聽到笑語飄搖
有人在冰上滑倒
楊花攪雪迷人心魂
鞭聲清脆伴著鷹呼
簫音在夜裏繚繞
明月因此躲入浮雲

記憶隨風而逝
向晚時原野朦朧
旗桿上黃昏拉下夕陽
掛起一盞紅紗燈
走過來一個人　於遠道
靠著在野臺子戲腳旁
不說一句話等天明

走入古老

清明踏入上河圖
瓦厝人家黃土路
牆外高張蓮蓬樹
陰著四合院裏風物動
廚房裏的炊事
窗下的女紅
姑娘鞦韆出了牆頭
犬吠行人腳步
貨郎擔子搖響博浪鼓
筆墨莊有琴棋書畫
綢緞店掛著鴛鴦刺繡
彎月橋上老人看水流

船過風顛倒
歲月東去波無痕
駟馬不停人外瞅
驢子駝著兩桶油
歪著氈帽的漢子
推著獨輪車　坐個老太婆
媳婦兒女橋上遊

天橋把式鑼鼓場子耍江湖
走索的細腰花傘搖
算命的指古今將相皆有種
說書的把鄧艾口吃當玩笑
張飛性急枉送命
諸葛六出祁山食少事繁
關公忠義千秋把名傳

錦瑟

五十弦是不是眞的嫵媚
我曾彈過落日裏的華年
豐潤是子夜後的春酒
殘月下融雪的溫存
簷冰碎時低吟
總嫌秋楓紅顏
無端便是燒焚的芳唇

笛音繚繞
餘馨流韻
卷耳的花蕊
握過乳香的小手

鐵衣透體的冷
任春風舞踊田疇
蒲公英漫過煙景
昔日引去的一襲青衫
竟是蕭蕭白楊

花容在落霧時隱沒
雛菊於斜陽下垂首
脈脈的秋波
山寺的鐘磬

你的小名無人知悉
只在顫索的弦上
隨芳菲飄失

月有聲

沈沈的睡去了
枕著雪峰的白頭
我猶聽到月耳語
濃密而細柔
圓初是銀灰的淺
淡如初寐的麥田
鍍上閃青的暈
纖手素白　彎在眉梢
我知道緘默的黑
如稠髮卷渦
有時搖漾而飛揚
笑的小名　甜而有香

紅嫣應驗眼波的慧點
春衫子繡上夭桃如夢
微風悄悄行過芳樹
如白蝶流連花叢

問你是誰　你不答
恰似輕雲　伴小溪
涓涓流過窗前

寂寞

我夢見一個寂寞
大的像一個月亮
月亮也愛寂寞
爬在窗前窺我
我聽到輕微的嘆息
原來是落紅的飄逸
水月裏　一朵白雲佇立

白蝴蝶

沿著偃臥的大街舉首
透明的水月一色
白蝴蝶是雲的楊絮
繫着在綠樹的髮上

無花果樹

秋天是已開未開的無花果樹
展翼於月光的投影
風是光波的使者
傳出颯爽的歌

大地有深紅與淺紅
澄空有藍與碧
稀有的是音色的撞擊
綿軟的是柔雲的絲路

紫色

如果我能
開紫色的花
偎依妳而輕笑

淺紫與深紫
來往於妳微明和幽暗的線條
掀起小小的波浪
就像那光的閃耀

當雨夜妳行過
映在地上是燈
我俯身去拾取
然後緊貼在焦渴的心胸

聽那褪去了的紫的白
變成許多的叮嚀
你當會
忘掉一切憂愁

音緣

就是在 星燦月圓的午夜
月 浮游於 海波
海波的磷光 萬星閃爍
把這酣醉的人間
點化爲 靜謐燦爛
佛首青的山峰俯首
上有澄澈湛藍的青空
青空外 無垠的霞嵐
有銀鈴 輕吟
我聽到 海聽到 山也聽到
一縷 微妙的樂音
蕭笛笙簧 細緻 纏綿

飄渺　漫遊的
天籟　撫慰我
孤寂的心

窗外　不是黑夜
不是著了面紗的四野
不是蒙了虛無的陰影
樹是碧綠欲滴的翠
花依舊萬紫千紅
我聽到　海聽到　山也聽到
那奇特絕妙的風貌
宇宙的韻律
天地和鳴的　歌聲
舉起　白日　使之
誕生

有風走過

我們奔躍在芊芊平原
天 做了我們的芙蓉帳
萬星傳遞 一雙
眼睛 澄澈含情
月亮撫慰 我們
恬靜的笑靨 以及
遙遠故鄉 密佈
愁顏的 漢唐
我們在這裏 凝視過
坎坷的街道 遙遠的腳步
輕薄的溪花 零落的雨露
我們當年種植的樹苗
已長成潮湧的脈流

伸出它擁抱陽光的千手
你問當年貧困的鄉鎮
何以起了櫛比的高樓
沙塵泥窪的村莊
竟沸騰著車水馬龍
處處弦歌動
人人衣冠楚楚
洋溢著　安詳快樂的
笑容
多少年　老去了
千山萬水的悲歡
多少雙手編織　驚人的
意象　拒絕巍峨以後的崩散

春泛之外

從悲壯的殘冬走來
人世的風景 豁然開朗
姹紫嫣紅的村野 粧點
風帆雲影的
果樹

青山面對 水聲婉轉
綠原田疇 柔蜜馨郁
使我憶起 一首歌
冀北煤層亮藍的 火燄
濃於 海浪的
雪鄉

流動的春泛
大地的脈博
使我感覺無盡的
純美　澄澈的
長天　偉大的
理想
布穀鳥以歌聲舉翅
以飛翔代替訴說
萬般委婉的細流
是一個腐死了
新生的季節
是一個收割了
抽芽的行列
是一個打散了
最密實的
編結

穿過沙塵的
路 展開 於
我們四處奔跑的
腳步

春江是年華的寫照
歲歲月月日夜流

樹的歲時

春

一顆綠蕾生一片葉子
一片葉子以無聲之聲
無色之色　無香之香
無味之味　喊出了姹紫嫣紅

夏

藍焰焚月爲蒼白
同性戀的叢葉靜下來
問多汗的熏風
去年楊柳的心事

秋

昏鴉棲老籐枯
夕陽西下 煙霧迷濛
時而沉吟 時而戰慄
簌簌淚下 蕭蕭啜泣

冬

找尋到一株落木
落木上忘我的枝椏
落木下不見殘葉
只見埋了歲月的凍土

雨

縱然陽光穿透
雲外有星辰
月也守望過更漏
但殷勤而來的
依然是你
叩門敲窗的問候
秋已携去冷露
春光化爲清流
蝴蝶穿花的咏嘆
扁舟優遊的試探
抵不過淚珠搖落時
輕聲細語的叮嚀

你小小的纖手
搗住燈影裏的淺紅
回眸一笑的溫存
彷彿四月的春花
開在枝頭

點點滴滴的水花
濺濕了你的素足
一霎幽蘭的香息
散佈在寂然的四周

月牙兒

月亮在洗
伊的臉　越洗月
白

烏雲窺視在
伊腮旁　且
抓伊的癢

月亮　洗過
伊的半邊臉
另一半
猶抱琵琶半遮面

·173· 月牙兒

月亮背過身去
披上紗巾
用　月牙兒
看人

月牙兒沒了
看月的人
蔭在樹下
也不見了

光照

我把最微末的給你
野原上生長的小草
閃閃發光的夢
尖銳而又柔韌的珠莖

我把最原始的給你
小草探出頭時的泥土
黑黝的果子的核心
化身三千億的星辰

我把最虛無的給你
天地渾沌時的融和
乾坤旋轉時的圓軸

充塞陰晴的季候

我把最眞實的給你
雨潤花蕊　風撫葉樹
山水屏錦　雲海畫境
以及　太陽小寐時
朦朧的月亮的光照

卷三　鄉謠之什

山西北部民歌，聲調激越，詞語率眞，感人處，往往令人神采飛揚，或熱淚盈眶。民初詩人胡適與劉半農，嘗試以民歌入詩，頗多成就。今採擷晉北鄉謠約二十餘首，留其原貌而稍加改作略予潤飾，錄於此，以誌同好，共流芬芳。

石榴花燈

民歌不唱口難開
石頭岩上樹難栽
風謠唱翻黃河水
小妹心事哥來猜

斑鳩飲水咕咕叫
哥無妻子妹無夫
妹無丈夫不成對
哥無老婆做孤人
哥戀妹妹花轎抬
妹愛哥哥馬上來
石榴花開葉子青

妹在房裏繡枕頭
石榴花開火樣紅
手拉哥手笑盈盈
只爲今年花開好
結了棗子送雙親

手抱娃娃看花燈
蒼龍白虎在上頭
托塔李靖二郎神
唐僧取經孫悟空
梁祝相會在樓臺
岳陽城頭呂洞賓
桃園結義關雲長
過了五關斬六將
在古城邊斬蔡陽

西口荷包

哥哥你走西口
小妹妹實在難留
手拉住哥哥的手
送哥送到大門口
小妹兩眼淚雙流
叮嚀千般記心頭
住宿大店走大路
坐船安坐船中腰
事事謹愼守本分
萬萬莫交女朋友
哥哥你走西口

妹心跟了哥哥走
手裏遞過荷包袋
拴在哥哥褲腰頭

荷包繡上雙鴛鴦
鴛鴦戲水不離分
楊柳青青桃花紅
哥娶妹時三月梢

初一十五月兒高
妹數指頭哭聲吞
早起盼哥到黃昏
黃昏想哥到天明
夢裏送哥一條船
哥哥坐上早回還

花上帶花

東山上點燈西山上明
四十里平川瞭也瞭不到人
你在你家得病呀
我在我家哭
秤上的梨兒送不上門（想情哥）

你給他小拉親親捎上一句話
你就說三天三夜
沒吃沒喝不說不道不言不語
但想他呀卿卿（想卿卿）

天天刮風天天下
天天見面說不上一句話

天天下雨天天晴
天天見面成不了親
天天刮風天知道
小妹妹心裏難受誰知道（天天刮風）

大同府呀嘛嗨
九龍碑呀嘛哈
你是哥哥的啊噢嘛
要命鬼呀嘛哈（大同府）

老遠望妹白如雲
頭上紮起紅頭繩
芝蘭花兒帶兩朵
花上帶花愛死人（花上帶花）

藍花花

青線線
藍線線
藍格蔭蔭的彩
生下一個藍花花
實實的愛死人
五穀子　田苗子
惟有高粱高
一十三省的女兒家
數上藍花花好
三班子的吹來
兩班子的打

三月裏送大錢
四月就來迎

你要死那嘛
你就早早的死
前晌你死
後晌藍花花走

手提著羊肉
懷裏揣上糕
冒上我的性命
往哥哥家裏跑

我見到我那情哥哥
有說不完的話
咱們倆個死活
要長生在一搭

四個鸕鷀

烏拉山的鸕鷀
瓦瓦灰
誰想起我那明鏡哥哥
刮了野鬼
你刮你的那個野鬼
奴在奴的個家
你當你的光棍呀哈
奴守奴的個寡（刮野鬼）

房前的大路
卿卿　你別走
房後走下來

卿卿 一條小路（小路）

一根篇擔鉤帶長
挑起篇擔走街坊
不爲篇擔能挑水
挑水只爲看情郎（挑水）

日落西山滿天霞
對面山上來了一個小寃家
眉兒彎彎眼兒大
頭上插了一朵山茶花

那一座山裏沒有樹
那一株樹上沒有根
那一個男子心頭沒有意
賣了麥子來娶她（娶她）

金不換

送情郎聞到百花香
對著情郎說比方
花不逢春不開放
郎不看妹不梳妝（比方）

哥哥在山頭上
從早到晚支魯支魯割油麥
小妹妹在山底下
白個稜稜小手手格丟格丟刨山藥（割油麥）

杏花開來菜花黃
催動世人種田忙
清明呀種籽下了土

一粒種籽萬擔收
你種莊稼要起早
三早就能當一春
收割麥子如黃金
萬物都在土中生（種莊稼）

一根竹竿容易彎
三縷蔴繩扯脫難
猛虎落在平陽地
蛟龍無水困沙灘
不怕力小怕孤單
眾人合夥金不換（金不換）

東山蘋果

東山上蘋果一片片紅
西山上綿羊臥白雲
白雲跑開滿山山轉
七月的紅果果紅山畔
紅艷艷的野花照山坡
當中一道清漣河
河河流水灣灣多
一對對情人唱山歌
牧羊的哥哥河灣裏唱
摘果果的小妹在山坡上
風吹河水呼魯魯的響
河畔畔牧羊哥哥逗妹妹
山歌唱的清又脆

知心合意一對對
紫紅的葡萄甜果果
親親熱熱送哥哥（唱山歌）

天上雲多月不明
河裏魚多水不清
山上花多開不盡
世上人多心不平
清道夫兒把地掃
懶人貪睡不起床（四多）

榆樹開花榆錢多
孫二娘開店十字坡
打遍天下無敵手
遇著壯漢武二哥（十字坡）

走絳州

又名：一根扁擔

一根扁擔軟溜溜的溜呀哈哈
軟溜軟溜軟溜溜呀哈哈
擔上了扁擔要到絳州
楊柳青花兒紅
支格支格察拉拉拉崩
哎嘿哎嘿喲我要到絳州

注　唐時山西已設絳州府，（龍門縣屬轄，爲薛仁貴故鄉）今稱絳縣。爲農商雲集地，節日趕集於此。歷時所唱「走絳州」民歌，流傳已久，耳熟能詳。民國二十九年，我歌「走絳州」於西安，因應抗戰，自加兩段詞而流行各地。但因聲口傳訛，遂有絳州、江州、荊州之混淆，及河南民謠之誤。特於此辯正。附當年所加兩段詞：

一根扁擔軟溜溜的溜呀哈哈

擔上扁擔向前走呀哈哈
給前線的弟兄們送軍糧
吃的多呀身体壯
打的那小鬼喊爹娘
哎嘿哎嘿喲趕他回東洋

一根扁擔軟溜溜的溜呀哈哈
擔上扁擔向前走呀哈哈
給前線的弟兄們送衣裳
穿的暖呀身体強
打的那小鬼見閻王
哎嘿哎嘿喲勝利回家鄉

卷四　九歌

九歌

大觀念重歌劇

美國馬里蘭大學音樂系主任梁銘越教授譜曲

第一幕（此幕如獨立，則爲「序幕」而不分場）

第一場

△前奏曲

△幕在樂歌洋溢聲中昇起。

△景：

黎明絕早的自然景物。

銀月如霜，曉光初透。

九嶷山重疊，嵐氣迴環。

凌霄殿隱約於紫靄中。

湘江如帶，流過芳洲。

丹楓玉露，百鳥啁啾。

△人：

祭巫與舞群。
東君與四雲旗手。
雲中君與七仙女。
玉皇大帝（即東皇太一）。
太白金星。

△合唱隊歌聲起：吉日良辰迎上皇。
△景觀隨之變易。
△合唱隊女聲為先：
歌云：

曉星沈，
黃鶯囀，
百鳥朝鳳。
曙光昇，
龍吟鶴鳴，
風雲動。

△弦歌中，祭祀上天的祭舞開始。

△祭巫裝飾如一隻翠鳥展翼舞上。

△長髮衣纖的舞群隨祭巫而舞。

△四窈窕女手舉瑤席四角舞上。

△瑤席安放中央，各鎮以玉瑱。

△歌：

我們展瑤席，

鎮玉瑱。

△四女吹竽撫瑟，敲鐘附鼓。

△歌：

我們敲鐘擊鼓

把竽瑟弄。

△四女捧香花、芳草、蕙肉果、清酒，獻於瑤席上。

△眾女隨祭巫舞而合歌：

我們獻上了香花芳草，

也獻上桂漿椒酒，

虔誠跪拜迎吉辰，

祭禱上蒼跳巫舞。
嗬嗬咿呀嗬嗬嗬！
△群舞隨鼓樂沉酣。
△朝暾湧現萬道金光。
△隱隱的雷鳴，雲旗手舞著龍、虎、雷、電四色彪旗，簇擁龍輈出現在
九嶷山上。
東君銀衣金裳，揹著大弓長箭，站著在金圓色光籠罩的龍輈中。
△聲白：
東君駕到！
△雲旗手把彪旗舞開呼剌剌的響。
△祭巫與舞群跪拜於地。
△東君：
舉起長矢，
射落天狼星；
讓天空，淨無纖塵。
摘下北斗，

當做酒樽，
斟滿桂椒，
手拍胸膛仰天呼！
熙陽出來暖烘烘，
掃陰暗，
驅寒霜，
大地放光明，
精神抖擻。
萬物浴春暉，
欣欣向榮。

△祭巫與舞群充滿希望的跪舞。

△聲白：

雲中君駕到！

△九嶷山腰出現一道彩虹橋。

△七仙女衣七彩衣在彩虹橋上舞翩翩。擁雲中君上。

△歌：

一道彩虹七色橋，

七個嬋娟橋上遊；
橫四海，
覽九洲，
日月昭昭花開樹。
△雲中君：
大旱思虹霓，
物換星移多變幻；
今人非舊人，
綠波繞，霞光燦爛。
△仙樂飄飄，
東君與雲旗手，雲中君與七仙女共舞出一片錦繡。祭巫與舞群亦俱沉迷於崇敬仰慕的氣氛中。
△天門在上空開啓，光芒萬丈。
△聲：
玉皇大帝駕到！
△歌：
一霎那，

祥雲繞，
鼓樂喧，
急管繁絃遏雲天，
玉宇凝碧凌霄殿。
△東君與雲旗手，雲中君與七仙女合樂舞踊。
△祭巫與巫群旋迴婆娑，祈福朝拜。
△玉帝冠冕朝服，佩劍，腰圍革帶，玉飾琳琅。
△聲：
獻花！
獻果！
獻肉！
獻酒！
△尊禮祭祀。
△眾聲：
叩求國泰民安，風調雨順。
牲畜繁衍，五穀豐登。
旱魃不殘害，黃河不決口。

△眾神肅穆。

△祭巫與巫群拜舞。

△帝：

爾等誠心祭典，行善積德，上天降吉祥，自會保佑。

△聲：

列位神仙，有事上奏嗎？

△太白金星鶴髮童顏，持龍頭拐杖，懸金葫蘆上。

△太：

啓稟玉帝，臣巡行人間回來了。

△帝：

有事請講，我在聽著。

太：

黄河兩岸，山川壯麗，地大物博，風吹草低見牛羊，民風淳樸。是中華文化發源茁壯的地方。

帝：

溫柔敦厚，是爲仁義之邦。

太：

江南杏花春雨，鶯飛草長，山明水秀，煙雨樓臺，人文錦繡，世稱魚米之鄉。

帝：上有天堂，下有蘇杭。天上明月有三分，二分明月在揚州，說的就是這等黃金一樣的家園。世上少有人間也無雙，願他永安康。

歌：和穆樂相處，同心携手前行，創造永恆的中華。

帝：列位神靈，這些祭祀的子民，心意虔誠。

太：他們害怕黃河決口，旱魃猖狂，他們以爲天災難防，其實世間種種災難，都是肇因於人禍。

帝：他們應該知道，和穆相處，互愛互助，才是免除禍端，安身立命之道。

△祭巫與舞群漸將完成祭舞。

△管弦晏然。

帝：
這好聽的樂曲是天上的九歌，這九歌的天籟是氣體相和，物類相應，聲律融洽，音色諧合。人們聽了胸懷舒暢，自在安詳。聽說人間也有九歌。

太：
人間九歌，是屈原所作。上敬天帝，下述他自己的憂苦。他的九歌，是祭祀的歌。

帝：
確是憂國憂民，我們也來洗耳恭聽。

△東君與雲旗手，雲中君與七仙女。均做洗耳恭聽狀。

△帝：
來人，請演奏人間的九歌。

△歌：
湘君凌空渡湘江，
美人築室九嶷旁；
芳洲翩躚湘夫人，
旦夕相愛浴鴛鴦。

河伯弄潮魚吹浪，
山鬼含情散芬芳；
蒼生有淚成甘露，
莊嚴祈禱歌國殤。

第一幕

第一場

△接連前面「序幕」之歌聲。

△景：

九嶷山在視野上較爲遙遠。

山邊煙霧裏有座瑰麗的明月樓。

湘江的碧波閃爍如一條玉帶，流過水濱與沙洲。

芳草萋萋，樹綠花紅。

△人：

一群美麗的女孩在浣衣，採花，歌舞。

一少女走上，望江跪拜祈禱。

女甲

女乙

湘君

湘夫人

△歌：（對唱）

問：

九嶷山爲什麼叫神山？

山上的雲岫，

爲什麼相擁抱？

山上的樹爲啥這樣綠？

山上花兒爲啥這樣紅？

答：

九嶷山住著神仙湘夫人，

雲霧纏繞山腰，

象徵千古的愛情；

樹爲青天綠，

花爲四季紅。

△歌：

湘江水，脈脈流，

流過寂寞流過愁；

星悵惘，月徘徊，

白雲悠悠去不留。

耳邊仙樂飄，

恰似天上九歌聲；

山光水色明月樓，

玉人樓上等歸人。

△女甲、乙：

路隔千山繞得掉，

隔著湘江繞上來；

隔山隔水相思繞，

繞山繞水繞著來。

△女甲問：

妳道湘夫人等的是那個仙人？

△女乙答：

莫不是五行之星金木水火土？

△女甲：

噯，不是的。湘夫人等的是他的心上人湘君呀！

△女乙：（指少女）

那個癡心的人兒祭祀的神，不也是湘君嗎？

△少女：（拜誦）

湘君，我的神！

你棲留何處？

朝朝暮暮我思念你，

你怎不給我一點音訊？

我等你不著，

你爲何不來？

我祈求你和我見一面，

死了也甘心。

△隱然有聲傳來：

湘江之神湘君駕到。

△少女全身顫慄，因快樂而激動地舞蹈。

△女孩們聚了在少女身邊。

△湘君乘龍舟沿湘江來，從停了在水濱的舟上出現。

△湘君：

沿江濱，繞蒼梧，

轉過浩蕩的洞庭；

水月銀波東流去，

一江清風送歌聲。

△少女：

湘君，你是我夢寐崇拜的神，

爲了盼你駕臨，

我渡過漫長的春和秋，

從黑夜守到黎明。

我獻給你山中芝蘭，

水裏芙蓉；

我虔誠的眼淚，

爲你而流，

伴著哀愁的鳳簫，
聲聲訴說我的怨慕。
△鳳簫在樂聲中如泣如訴。
△湘君向少女走近。
△湘君：
這一人間女郎，
你不該憂傷爲情苦。
△女孩們：
湘君，我們的神，
她爲你朝思暮想，
她爲你把相思來害。
△少女：
那個少女不懷春，
那個少女不爲春愁？
湘君，我崇拜的神，
我愛慕你，我思念你，
淚水兒將要流盡。

儀容俊偉的神，
高貴，溫柔，
你爲誰來江濱？
怎地對我不動心？

△湘君：

蓮花不生樹上，
果子不結水中；
相隔雲和泥，
休要枉費心。
我送你一支芳草，
盼你快醒悟。
早早回家去，
莫在江濱久逗留。

△少女：

依依情不捨，
空有眷戀難親近。

△少女悲泣。

△湘君自去。
△少女舞向湘君身後，無計追縱。
△女孩們亦興惋惜之情。
△湘君找尋湘夫人。
△湘君：
湘夫人，妳在那裏？
我來尋訪路迢遙；
我用蕙綢做了旌旗，
採芙蓉鋪了船艙；
泛流有桂槳，
蝴蝶蘭吐露芳香，
我的衣裳隨風飄揚，
光燦輝煌。
△湘君繼續尋覓。
△少女與女孩們徬徨徘徊。
△聲：
湘夫人降臨芳洲。

△湘君迎接。

△少女們惶悚。

△湘君：

湘夫人，我看見妳來了，

像美麗的彩雲，

秋風吹起湘江的波瀾，

丹楓飄飄落。

早晨，我在雲中尋你，

晚上，我在水邊想你；

你我相攜同上明月樓，

訴離情，度良宵。

△湘夫人翩然鳳至。

△湘夫人：

長相憶，在心中；

怎麼説出口。

我望穿雲山，

你遲遲不歸。

鳥兒應在樹上築巢，
爲何停在沙洲？
魚網應撒在水裏，
爲何抛在樹梢頭？

△湘君：

江畔有白花，
水邊有蘭草；
我日夜懷念你，
情意像海深。
麋鹿應徜徉在草原，
爲什麼來庭堂吃草？
蛟龍應潛泳在海洋，
爲什麼要投入你懷抱？
爲了你呀，
我的愛人。

△湘夫人接受湘君的牽引，一步步向明月樓走去。

△湘夫人：

我蓋起明月樓，
築室在水濱；
圓荷撐起屋頂，
紫貝攀爬上牆，
芳椒鋪廳堂，
桂木砌門窗；
薜荔蘭蕙結成羅帳；
白芷芍葉裝飾臥房；
翠玉鎮著坐蓆，
迎春花開滿路上。
△二人相攜走近明月樓。
△這時，明月樓光華燦爛。
△湘君：
這裏是錦繡天堂，
住著美麗的女王。
爲了追尋幸福，
千山萬水來到你身旁。

獻給你忠誠，
我把短衣玉佩拋江中。
△湘君解短衣與玉佩拋入江中。
△湘夫人亦解脱衣袖。
△湘夫人：
望穿秋水，
等你到今朝；
脱下衣袖表堅貞，
伴著水月向東流。
△少女宛轉匍伏，失望至極。
△女孩們將少女圍繞。
△湘君·湘夫人相偕走進明月樓。
△湘君·湘夫人：
相會相知把相思了，
丟掉孤悽與煩惱；
邀請九嶷山上眾神靈，
慶祝高歌樂陶陶。

△明月樓上照著湘君與湘夫人相依偎的一雙人影。

△少女由失望轉爲絕望。

△少女：

湘君，我崇拜的神，

我祈望做你的奴婢和侍從，

至今不幸落了空；

湘君，我鍾愛的神，

莫辜負了我的苦心；

憂愁定會要了我的命，

我要把這堅貞奉獻給你，

我惟一依戀的神。

△少女旋舞向江濱。

△女孩們追蹤而舞。

△少女跳入江流，逐漸淹沒。

△女孩們匍伏江濱，無法救溺。

△燈光漸次暗淡。

△只有明月樓明亮，亦漸暗。

△風雲起，江水滔滔。
△歌：
樂莫樂兮新相知，
悲莫悲兮生別離！
湘君、湘夫人，我們永遠祭祀的神。

第二幕

第一場

△景：
青山重疊。
江水滔滔。
江邊林木蔥蘢。
桃花叢，竹林。
水洲，山阿。
△人：
山鬼。（赤豹、狸貓）
少女。

男女老幼

旱魃。夔妖魑魅。

歌：

穿過桃花叢，紫竹林，

走水湄，轉山阿，

來了，那美艷的山林女神，

他穿著蘭蕙的衣裳，

玫瑰、牡丹，

插在烏黑的長髮上。

你看他：

娥眉杏眼赤腳丫，

粉紅臉兒糯米牙；

窈窕健美的模樣，

活像天女散花，

他騎著火燄般的赤豹，

手牽著乖順的狸貓，

正向四周逡巡。

△山鬼：

春天已來臨，
大地也已解凍。
我走過了深山雪嶺，
也走過黃土平原，
捧出赤誠的愛心，
要把偉大的河伯追尋。

他是氣魄雄偉的英雄，
堆驚濤，掀駭浪，邁洪波；
穿空鼓盪，跳躍飛翔，一瀉萬里長！
是大地脈博，宇宙心臟，
是直上青天的鯤鵬，
是激起電流，揚舞風雲的巨龍；
他是光輝燦爛的金陽，
我在他的照耀裏，

彷彿小花一朵。
但我要用千種溫柔，
轉化了他的傲岸與剛強。
△山鬼與赤豹，狸貓仍在逡巡。
△歌：
黃昏漸次來臨，
鴉雀歸巢，
星兒也亮在樹梢頭。
女神，留連在江濱的女神，
你爲何不回返山林。
赤豹和狸貓跟著你，
也要回到山林憩息；
山林快要沈入黑鄉，
你也要靜靜安睡。
△山鬼：
我聽到江潮湧上岸灘，
江聲擂鼓復搧風；

一波又一波，
好像河伯腳步聲隆隆。
△潮打岸灘去復回。
△少女被浪花沖上江濱。
△赤豹低吼。
△山鬼前奔，救護少女。
△少女斜倚在山岩旁。
△歌：
氣息奄奄的少女，
隨波逐流，
被晚潮送上了沙洲。

女神照撫他以溫情，
狸貓舐他的手足，
赤豹暖和他的身心。
他的神智稍有清醒，
念念不忘他的親人和故鄉。

△月亮升起，照在少女身上。

△少女：

我在那裏？

彷彿依偎在親人身旁，

媽媽教我一首歌，

那是故鄉的歌。

可愛的曲調，

溫柔的歌；

那裏綠野平疇，

那裏鳥語花香。

我朝拜過的山岳，

我走過的小路；

在湘江的柔波上，

我曾隨波蕩漾；

在我的生命中，

有我愛戀的神；
純潔無邪的愛情，
在醒時，在夢裏，
燃燒著江畔的紅花，
如火如荼。

現在，睡在明月的懷抱，
親人和故鄉在我的心上，
閃閃發光；如露如電，
隨著愛的暖流，
向東，如夢幻，
悠悠的流走。
△少女在歌聲中死去。
△風驟起，雲遮月。
△山鬼：
少女，甜美與純潔的象徵，
愛情的珍寶，

靜靜的安眠吧，
我送你到山林深處，
去對愛情做永恒的夢。
△赤豹負起少女向山林奔去。
△風嘯，雷奔。沙飛，石走。
△月沉星落。
△雜呼戾厲，低沉恐怖。
△山鬼：
看呀！大風起自天邊，
烏雲霹靂下，捲動狂飆；
掠過大漠，掃過草原；
從冀北湧向江南，
要把大地掀翻。
△歌：
山蒼黃，水嗚咽，
挑花零落竹林散；
黃土乾旱，麥苗兒殘；

大地遭殃悲離亂，
荒涼窮愁苦不堪。
△場景因情節變換。
△山鬼：
河伯，你在那裏？
你那雄壯的奔流，
能否帶走人間的浩劫？
掃除萬民的哀愁？
春寒帶著嚴霜，
把山河凍結？
△在鬼魅魔影中，苦難的男女老幼翻滾飄浮隨枯草落葉舞上。
△山鬼週旋於其間。
△威嚇恐怖的聲音。
△旱魃赤髮藍臉，張鱗甲，展飛翼，旋舞而上。
△山鬼挺身護衛難民。
△旱魃：
我是罪惡的元凶！

手裏握著大地的命運，
我的助手是死神，
無敵的威嚴是恐怖，
我讓殺戳統治宇宙，
給黑暗一個死亡的封號，
暴力的秘訣是專權，
要送萬眾入火窟！
△山鬼與旱魃對舞。
△旱魃：
山林女神，我的美嬌娘，
你是俏白高，
你是黑蠻妖，
你是香酥脆，
你是四季紅；
只要你肯跟隨我，
我使地獄變金屋，
給你搭座白骨橋，

通過塵劫到天堂。

△旱魃狎弄山鬼。

△山鬼在夔魑魅影中穿梭。

△巨大的波濤聲。

△河伯赤身虬髯，在魚龍簇湧中上。

△河伯：

千萬里泥沙，挾怒濤，泛濫澎湃！

九曲連環，呼嘯翻滾，天搖地動！

我來了！我來沖刷旱魃的專橫！

山林之神，我的愛人，

不要害怕旱魃的欺凌！

海上的龍族，

要把萬流釋放；

讓甘霖普降。

魚兒在水中翻錦浪；

除去萬惡的旱魃，

使大地沐浴春光。

△魚族湧向旱魃夔魑，將之淹放。

△河伯擁山鬼而舞。

△男女老幼與魚族伴舞。

第二幕

第二場

△景：

明媚艷麗如前景。

△人：

山鬼

河伯

太白金星

渾沌

檮杌

窮奇

饕餮

水、火、土、木四星

△歌：

一霎時，風輕雲散，

美山河，還我自然。

寒冷要消隱，

春是播種的季節；

我們播下愛的種籽，

收穫豐富的成果。

△山鬼：

河伯，你是五湖四海的王，

你翻江倒海，遇難呈祥。

把甘霖普降，

田野蔥翠茁壯，

你賜福大地，

萬物欣欣榮長。

△河伯：

你看魚兒翻錦浪，

龍族吹笙簧，
碧水燦爛，萬花開放；
江山如畫好風光。

我們去遊九河，
看滾滾的波浪；
走遍黃土地的肥沃，
觀光綠水鄉。

△山鬼：
你我情義深，
渡過艱難與冰霜；
春秋相依偎，
幸福安康。

△河伯與山鬼對舞。
△鼓聲。
△歌：
鼓聲咚咚響，

驚動夢中人。

△太白金星上。

△山鬼：

上星降臨有何吩咐？

是否爲我倆祝福？

我是山林他是水，

水繞山林不離分？

我要永遠圍繞著河伯走！

△太白：

河伯！大河泥沙淤積，

赤流泛濫，

上皇令你快回龍宮，

治理水患！

△河伯：

我聽到黃河呼喚，

澎湃的浪頭，響遏雲霄；

雄壯的長流，萬馬奔騰。

黃河傾訴著往昔的滄桑，
　　故園的凋零，
我要前去撫平山河的塊壘，
　　大地的不平。
把哀哀的河觴，
導向康莊大道。

△太白：
這正是上皇的旨意，
你倆可攜手一同前去。

△赤豹與狸貓奔躍。
隨河伯與山鬼下。

△太白金星正欲離去，一股黑霧把他籠罩。

△太白：
這等風光明媚的美景，叫人賞心悅目。怎的飄來一團黑霧，將我老人
家圍住？

△樂調嘈雜，鼓聲低沉。

△太白佇足而觀。

△渾沌、檮杌、窮奇、饕餮四凶，裝扮極爲怪異，獸面假象旋舞交錯而上。

△渾沌：

面貌模糊，沒有七竅；

耳目不聰，黑白不分，清濁不辨，是分不明；

我是渾沌。

△濤杌：

青面獠牙，豹尾獅身，專吃六畜，不吐骨頭；

我叫檮杌。

△窮奇：

皮粗肉厚，犀面赤首，狼嗥狗吠，禍害無窮；

我叫窮奇。

△饕餮：

頭大如斗，口似血盆，吃遍天下，點滴不留；

我叫饕餮。

△四凶狂戾，跳躑吼叫，推撞翻滾，雜亂顚倒。

△四凶：

木妖、水獸、山精、石怪，古往今來，人稱四凶。

△四凶圍繞太白。

△渾沌東摸西摸。三凶各出奇招。

△渾沌：

是那個來了？

△太白：

我乃是太白金星。

△渾沌：

長的啥模樣，能吃嗎？

△檮杌：

這老兒鬚髮雪白，臉兒紅潤，手柱拐杖，腰懸葫蘆，老兒，你這葫蘆裏賣的什麼藥？

△窮奇：

連藥也吃了。

△四凶爭著要吃太白。

△饕餮：

我嘴大，該我先吃，骨頭留給你們。

△四凶惡形怪狀，無奇不有。

△太白拂塵一繞，四凶跌撞翻滾。

△太白：

這些冥頑不靈的東西，要嚴加管治教訓；木星、水星、火星、土星何在？

△聲：

吾等來了。

△四星在一片光華中上。

△木星如巨靈，俗稱葳星，五星之王，三眼六臂，手中分掌文房四寶。

△水星又名辰星，面分陰陽，手握鐘、鈴。

△火星又名熒惑，金面黑髮，頭上火燄光圈，耀眼生輝。

△土星頭上有紅白藍三色光環，胸掛明鏡。

△渾沌：

黑豆放黑斗，黑斗放黑豆；黑豆黑斗，烏七八黑看不眞！

△木星：

我教你琴棋書藝，使你開竅，治你的冥頑不靈！

△渾沌抱住文房四寶，陶然忘我。

△木星：
我還教你通達人情世故，跟我來！
△木星牽渾沌下。
△濤杌：
出門遇到人咬狗，檢起狗頭打石頭，今兒說出顛倒話，氣的水星變骷髏。
△水星：
檮杌，你喜吃六畜，不吐骨頭，違反天理，背逆人性！我教你禮義廉恥，仁愛慈悲。
△濤杌：
不懂，不懂！
△水星拋出一根金銀線，套住檮杌。
△水星：
跟我來！
△濤杌：
好老爺！鬆點吧，痛死了！
△檮杌跌撞下。

△窮奇：

世人罵我是孽障，頓頓喝的青菜湯，胳膊沒有指頭壯，餓的眼塌脖子長！

△火星：

窮奇！你腰粗肚大，腦滿腸肥，怎說皮包骨頭，儘是假話？

△火星以火圈套住窮奇。

△窮奇：

火星老爺饒命！

△火星：

不誠無物，人無信不立，我教你做人的道理。

△窮奇一步一跳的跟火星下。

△饕餮：

大頭大頭，下雨不愁，人家打傘，我有大頭！

△土星：

你更有一張血盆大口，除此以外，別無所有了！

△饕餮：

咦！我的四肢肚子呢？

△土星：

你看這鏡子裏，你只有一張臉，要了面子，不見身體！

△饕餮：

除了面子和大嘴，我啥也沒有！

△饕餮大哭。

△土星：

別哭，只要面子不要身體，不能如此活著，來！跟我來，我要給你一個身體。

△饕餮皮球一般跟土星下。

△太白踱步沉思，似有不解者。

△婉媚柔麗的音樂。

△太白：

吾眞有些不解，爲何這片樂土上，會有冥頑不靈，凶險惡劣的怪物橫行霸道？

△太白再想，若有所悟：

對了！可能是人們生活富裕，只知逸樂享受，忘記了天行健，自強不息的道理吧！

第三幕

△景：

草原。

荒坵，斷樹。

落月殘霞。

烽煙漫天。

△人：

舞群。

兵勇。

將。

祭巫等。

△象：

天神。

△強烈激壯的樂聲。

△聲：

爲了抵抗侵略，

我們出征。
爲了捍衛國土，
我們出征。
爲了拯救同胞，
我們出征。
爲了爭取勝利，
我們出征。

△鼓陣舞出。

△鼓：銅鼓、鼙鼓、羯鼓、大鼓、小鼓、齊鼓、檐鼓、腰鼓、手鼓、節鼓等。

△鐃鈸相繼舞出。

△帥旗舞出。

龍、虎、獅、豹、熊、鷹、象等戰旗翻舞。

△刀槍劍戟舞。

△矛盾搏戰舞。

△箭簇車騎舞。

△歌：

挺長戟。
披犀甲。
擊銅鼓。
控戰馬。
龍旗捲烏雲。
陷陣勢如蜂。
箭雨挾風暴。
攻戰湧狂濤。

△將：
天崩地裂車騎倒，
髮指血沸威靈怒。
奮勇殺敵如猛虎。
不滅敵人誓不休。
歌：眾聲唱和。
將：頭可拋．
身不倒。
魂魄忠，

天地崇。

△將揮劍而舞。

△歌和：

頭可拋。

身不倒。

魂魄忠。

天地崇。

△攻戰之舞。

△將身先士卒，身被重創。

萬箭穿身，屹立不倒。

△號角突出。

△將：

以死報國爲鬼雄，

萬世流傳立蒼穹。

△衆和歌。

△和歌聲中，舞群環拱左右。

△樂聲莊嚴肅穆。

△歌：

偉大偉大，

偉大的巨靈；

奮勇作戰，

身先士卒，

衝鋒陷陣，

萬箭穿胸，

屹立不倒，

尊號戰神。

△一尊巨靈，於將屹立不倒之身後，昂然昇起於中央，氣勢威武、懾人心魄。

△樂聲由哀沈而莊重。

△燈光放金光。

△祭巫等恭敬虔誠，捧著鮮花祭品上。

△獻禮魂舞。

△歌：

樂聲起，

鼓聲沈。
帶長劍，
挾秦弓。
△祭巫等獻上鮮花祭品。
禮魂致敬。
獻舞膜拜。
△歌：
魂兮歸來，
獻花奉酒。
歌英烈，
保疆衛民。
魂兮歸來，
傳芭起舞。
頌將士，
颯爽國風。
天神顯嚇，
將軍如生。

△眾再舞再拜。

△歌：

頂天立地有正氣，

春蘭秋菊祭神靈。

△舞臺上下呼聲：

萬歲！

英雄無名！

萬歲！

英靈不朽！

——幕在鼓樂和呼聲中落下。

（歡迎音樂家譜曲）

卷五　詩緣小記

詩緣小記

我最初認識詩，是緣於塞北的泥土。

那黃色的泥土，是晉北靠近雁門關的五寨縣我家鄉特有的色彩。幼小時，稚潔的心，對於赭黃，是綿柔是堅韌的泥土，有親切的感受。經過風沙的擁抱、雨雪的浸潤，至冬的枯凋後，樹枝忍不住冒出來的一點星綠；對於大地和童年的我來說，都是一種生命的喜悅。

緣於江南的水鄉，使我進一步認識了詩。讀小學時的幼年，我隨母親到了南京，是父親任職的「山圍故國周遭在」的金陵。

塞北是那樣的一張粗糙的老於塵霜的面貌，而江南的圓潤與溫馨，則是生命的另一種韻律。清明時節的柳絲弄碧，煙雨樓臺的姹紫嫣紅；盈盈的水波細訴着相思，輕輕的月色撫洗着歸程。對於童年的成長的我來說，除生命的喜悅外，更是生活的享受。

而在江南千山萬水的那邊，則是萬水千山的故鄉。

歌，就在江南與江北唱着：

長亭外，古道旁，芳草碧連天。

以及：

一片麥苗隨風倒，陣陣的稻香吹來了。

我猶能清晰的看到那小小的身影，傾全身的力量，唱着：拔起船錨、打起帆蓬，衝濤破浪向前行。

幸福安逸的日子是短暫的，而不幸的烏雲已經籠罩在我們頭頂；暴雨使江河翻倒，城鎭坐飛，使我的心魂震動，血脈賁張，因爲，倭寇侵略的炮火射落了蘆溝曉月，永定河流着捍衛國土的英雄們的血。

江北江南遍地燃燒着抗戰的烽火。在上南京鄧府巷小學時，我們曾唱過劉雪庵的那首少作：「前進／一齊向前進／看敵人揮動明亮的刀鎗／預備再屠殺／一世紀的恥辱堆的比山還要高／百年仇恨比海要深／再等待什麼？」民國二十六年七月七日，抗戰後的肅殺的秋天，敵人在上海保衛戰中受到重創。八百孤軍的歌聲響遏雲霄，南京遭到敵人的轟炸，五百磅的炸彈帶着尖銳的嘯聲隔着兩條街落地爆炸，風吼挾着掀飛的泥沙，打擊着兩層樓的屋頂，恐怖和戰慄，激起難忘的記憶。法國作家都德的「最後一課」的屈辱和悲憤，尙無法描述被敵人侵凌屠殺的痛恨。

戰爭激勵人們走上戰場，戰爭驅迫人們踏上流亡的道路。

泣別了鍾山，鍾山結愁；涉過了蕪湖，湖水離憂；揮別漢江，漢江冰封；暫住長安，長安長夜不寐，輾轉反側；靜聽，號角吹起的鄉愁，炮火煮沸的河山，野花萎伴着白骨，沙塵掩蓋着孤兒。

滿腔的血淚化做歌聲，是悲歌、是戀歌、是民歌，也是拼此一生的戰歌。而無論那一種歌聲，這就是我當年，幼小時候寫出來的詩章。

鍾山的青松，無邊的落木；長江的泣流，不盡滾滾；俱皆驚悚於敵人的鋒利刀槍，在南京屠殺了我無辜同胞三十多萬人！世間慘劇，何止於此，這只是敵人對我民族燒殺姦淫的開始。而抗日的烽火，已遍地燃起。

二十六年的冬天到二十七年的春天，我隨母親避難於安徽芳草萋萋的和悅洲。父親彼時已辭去文職擔任特種工作團的戰地任務。在戰爭中和悅洲是何等美好的地名，每當朝陽昇起和夕暉西沈時，在金色的沙灘上，映着多彩的水波，我看着精壯的兒郎們，打了赤膊在江邊鍊着石擔和石鎖的矯健身手，和豪闊的歌嘯，至今使我難忘。

當時我已無校可上，但却在房東大戶家發現了一座書庫，使我得以閱讀了三國、水滸、西遊、封神以及俠義等的章回小說。二十七年隨母親到漢口，居住在北四川路啓智書店二樓，又使我狂熱的飽讀了許多文學作品，培養了我的詩心。

這年秋天，我帶了滿懷悽傷，滿肚子的詩書，由漢口到了古城西安。跳過了小學六年級，直接考上了興國中學。因爲參加了三民主義青年團，也參加了青年會的聯合唱團，並擔任兒童合唱團團長。成爲抗日文宣的一員，我開始了歌唱與演戲的生涯。同時參加了二十九年音樂界假南院門竹笆市阿房宮大戲院辦的「抗戰歌唱比賽」，興奮於獲獎的往事，掌聲與熱淚，歷歷如在目前。

也是這年的秋天，長安東大街蕭瑟的秋天，我以筆名鐵弦，寫的一首：船行在河上的短詩，發表在謝冰瑩女史主編的「黃河」文藝雜誌上。

那是怎樣的秋天，那是讓我在鼓樓上狂呼的秋天，讓我在中央廣播電台高歌的秋天，讓我在大雁塔小雁塔下，在杜曲韋曲的路上，狂奔狂舞狂歡狂跳的秋天。

在歌聲裡，注入了詩的噴泉；在戲劇中，洋溢着詩的脈流。那時，我已經讀過了拜倫、雪萊，濟慈、丁尼生、華滋華斯等英詩人的譯詩，更讀了帝俄時代的葉賽寧，普式根的「歐根。奧尼金」，「茨岡」，萊蒙托夫的「惡魔」，與涅克拉索夫的「嚴寒、通紅的鼻子」。以及瑪雅可夫斯基等。也讀了惠特曼的「草葉集」，哥德，席勒和海涅等。而捧讀中國詩人的作品，成了我日常的功課。以後讀了更多的書，充實學問，了解自然，體驗生活；爲我開展了宇宙韻律，世界心靈的眼睛。

民國三十年，我從西安興國中學轉學到鄭州力行中學。其時，家父辦了一份戰地日報，這副刊就是我詩的練習場。三十一、二年我轉學到襄陽五高，並爲樊城五師二校組織合唱團，作爲指揮的我，也是詩的勤懇的布穀鳥。

民國三十三年，我回到南陽，轉讀景武高中，校長李靜之先生也是前鋒報社長。於是，我又繼續爲詩的園丁。這年秋天，我率先響應了青年軍的號召，率領了二百六十三位同學，徒步出發，經老河口，翻大巴山而下巴東；一路風霜一路歌，朔風寒霜的行程，孕育了我的詩情和壯志。

在四川萬縣嘉陵江畔，作爲一個青年詩人，我投身爲捍衛國土的青年軍人，我創立了軍中文藝創作會，我主編了「帶槍者」詩刊、「金剛報」、「青年軍報」、「川東日報副刊太陽」（緣原在這裏以方青筆名發表詩）；帶動起一片詩的熱潮。我的詩如火山噴射着金燄，亦如，不盡長江水。更結識了許多寫詩的朋友。並於三十四年出版了第一本詩集「海」，也寫了長詩「創世紀」（原稿現由中央圖書館典藏）。

勝利後，我的詩大都發表在大公報「戰線」，武漢日報「長江」、大剛報、益世報等副刊。去中正大學讀書前回開封，並編過一陣大河日報的副刊「牧場」。

詩，猝然成爲我歌唱與演劇時最主要的活源，詩與音樂與戲劇佔有了我熱情的少年生活，和熱烈飛揚的生命。

三十五年以後，我由南昌中正大學轉學到南京丁家橋中央大學讀書，不久又到上海進入暨南大學文學院繼續學業。也到復旦大學聽課。詹文滸、易實甫、李健吾三師的課，我都修過。記得，田野等詩友曾到學校來看我。當時，他已離開政大，將要去海上航行。

三十七年秋冬，我搭乘中興輪從上海到了台灣。在基隆靠岸時，穿的是一套棉軍服，暖和的太陽天空照着，淳樸的台胞，雙手送上長大的香蕉，流着汗吃着香蕉，頓然了解台灣也是久別的鄉土，久別的親人。

從北部的基隆南下到高雄的鳳山，住在軍部的灣子頭，夜來與劉暨同在山路小徑看天上月小。漫吟着稼軒木蘭花慢：「可憐今夜月，向何處，去悠悠。是別有人間，那邊才見，光景東頭。」令人低迴感嘆，此是人間何處？

司令部辦有「精忠報」一份。我被調來政治處，在張佛千將軍麾下服務。「精忠報」是軍中的精神食糧，恰如一輪玲瓏月，發出晶瑩的輝光。月邊的星群，俱是「雄姿英發」的青年才俊，其矯健者如沈克勤，劉垕，吳逢祥，劉令輿，馮愛群，劉國瑞，黎世芬，侯家駒（千里馬），許牧野，羅戡，李雲光（師大早期博士學位獲得者）等；我亦忝居其後，爲「精忠報」撰寫社論，及發表新詩作品百數十首。彼時人們的豪氣宏爽，彷彿陸游立意開闊的七言：「初發夷陵」：

雷動江邊鼓吹雄，百灘過盡失途窮。
山平水遠蒼茫外，地闊天開指顧中。
俊鶻橫飛遙掠岸，大魚騰出欲凌空。
今朝喜處君知否？三丈黃旗舞俠風。

這種境界，從沉雄闊大中，含蓄着身世家國之感。文友吳延玫（司馬中原），朱青海（西寧），繆綸，洪濤諸兄初入軍中，亦均有此氣度胸襟，與時共鳴。我的短詩類多明朗健康，而少委婉曲折者。得到軍營弟兄們的稱賞，其中海瀰代表他的部隊寫詩來比我爲「一座燈塔」，我藉機回答說：

不要讚美我
讚美我們的國旗
不要歌頌我
歌頌我們的國家吧。

我在「精忠報」上發表過的詩，後來輯入「同仇集」，與長詩「祖國在呼喚」獲得民國四十年張道藩先生創立「中華文藝獎金委員會」，頒給的第一次的長詩首獎。「祖國在呼喚」這首內分三章的詩長約千行。第一個章節裏的詩，原題「回到故土」，於民國三十五年以林桓的筆名發表在大公報的「戰線」上。來台後加以延伸擴展爲第一章節。（「回到故土」的原作，曾剪貼保存下來，記得約在四十三年爲鄧禹平借去不曾歸還）「祖國在呼喚」由文獎會於四十年出版，曾得到詩界和讀者群熱烈的回響。瘂弦（王慶麟）兄每次見到我都要提到「祖國在呼喚」對他的影響，這當然是他素來謙虛慣了的話，但盛情可感。倒是王祿松兄爲了表現其誠懇，竟多次把他手抄的「祖」詩拿來給我看，三十多年前，我便見識過了他那筆銀鈎鐵畫的顏體墨跡。（不料前些時，他又帶了來給我看，一種凜然的愛國衷情溢於言表）。四十一年，我寫出了萬行敘事長詩「殷紅的雪」敝帚自珍一直未曾發表（原稿現由中央圖書館典藏）。

我在大陸時另有筆名舒林，舒靈，林翎等，于還素先生知道舒靈的筆名，田野、伍禾、綠原、曾卓兄等則熟悉舒林。來台後我易筆名爲上官予，或石林。石林少用，上官予則常用。但寫文學理論的文章，則多用本名王志健，如所著「文學論」、「五十年來的中國新詩」、「傳統與現代之間」、「文學天地人」、「三民主義文藝運動」、「秋尋集」、「文學四論」、「中國新詩史」、「中國新詩淵藪」等。劇集「寒鐘歌」等仍用上官予。

四十二年我在台灣大學讀法學院政治系時，曾另寫有「戀歌」一集，我的第六本詩集「自由之歌」，民國四十四年經穆中南先生主持的「文壇社」出版。集中短長詩均是文獎會錄用的作品。一集封面由我自己設計，當「自由之歌」二集出版時，由廖未林兄設計，典雅美觀，而含有深意。前幾年，二書已銷售一空而絕版。

第八冊詩集「旗手」，於五十四年由正中書局印行。這本詩集初版是三十二開本，封面分黃與古銅二色，充滿泥土的古樸氣息。二版時是二十八開本，封面是天青與海藍二色，由梁雲坡兄設計，有種自由舒展的格調。那時，「文獎會」已因經費拮据而結束，我在幾年下來集存的短長詩，包括了我的敘事詩得獎作「季長青的歌」和「孤女」以及「殘缺者」等作品都印入此集。

第九本詩集「千葉花」輯有「北方的牧野」，「南方的菓園」，「鐘聲與笛音」三個部分。大致是五十年前後的抒情懷鄉之作。「南方的菓園」中二十多首詩，是「蓮的組曲」，寫蓮的各種面貌姿采。其中數首曾在余光中兄主編的「文星詩頁」上發表。他的「蓮的聯想」於五十三年出版，較商務給我印行「千葉花」爲早。「千葉花」於商務五十七年八月出版後早已售罄，迄今未見再版。

六十八年五月，我的第十本詩集「愛的暖流」出版，這本詩集商務用特號厚三二五頁印出，其中錄有三個部分即短詩「四季」約有四十首。中篇詩「愛的暖流」約三十首，另有「救溺者」敘事長詩一首。同年，「愛的暖流」獲得第五屆國家文藝獎。算來也是新詩首次獲得此項獎勵。

六十六年我曾去意大利佛洛倫斯出席英國劍橋國際傳記中心主辦第三屆「國際文藝交流會議」。在大會上我曾接受表揚。歸來後寫有「記國際文藝交流會議」一文。七十年出版第十一本詩集「春歸集」，主題是以詩來省視歐洲的風采錄，並以文學藝術的欣賞爲觀點。集有約三十餘首記遊詩。另有十一首詩，是出席於韓國舉行的第四屆「世界詩人大會」之作，合約四十餘首。去國之行，實多鄉愁；故情緒鬱結，感慨遂多。

六十九年出版「上官予自選集」，篩選前列詩集中一些詩作入內，但未把劇集及文學理論選入；故只是詩選，由黎明文化公司出版。

我的第十三本詩集是「春至」，由中央日報副刊於七十一年以後分篇連載，於七十四年集結出版，並即獲得中山文藝長詩獎。論者認爲這是在意象與境界上連接三十七首詩構成一種多元性兼多義性；在氣韻與風格上貫通一體的眞情之作。甚得讀者之共鳴。

「五月」是本英文詩集。經由前美國新聞處長柯約瑟及哈佛馬莊穆博士合譯。「五月」是一首詩，出爲書名，內有長篇「當救主歸去」及「箜篌引」和「音樂」等共約三數十首詩，合爲一集。

七十六年我有「九歌」大型歌劇之作，以開張國人自創多幕重歌劇的嘗試，已由名家譜曲完成。

七十九年春天，銳集蓄力，寫「海」詩約四十餘首。過去田野有「海葬」等作。覃子豪有「海洋詩抄」，愁予有「水手刀」，汪啓疆有「船長」，朱學恕有「飲浪的人」等篇。我所寫「春之海」，欲將天無所不覆，地無所不載，「海無所不納」的悠久博大，淵溶自在的永恆，以映照宇宙韻律的無窮，生命生生不息的健行；光照萬有，靈悟天然。顧此心胸境界，爲我所獨有。萬古率性，一汪純眞，如黃土地百物生焉，如天無言而四時行矣。海予人類的印象是寧靜，狂暴，澄碧，幽深，璀璨，渺遠，壯闊，圓融，灩麗，颯爽；種種的形容，無能具足，而又包羅萬象，無所不有。此乃我寫「海」詩的心境，以此心境自我皈依爲「春之海」頂禮膜拜的香客與信徒。

我每常專心於其他寫作，而亦不忘興來寫詩，詩的情境於我渾然如一。我在寫作其他作品時，往往是把詩積壓心中，至不得不寫出時，才有詩汩汩如山泉不斷湧出。詩既爲一個詩人的生命，生命長在，詩亦長有。這是詩的眞理，也是眞誠的詩能夠不斷寫出來的最大原因。朝陽有聲，夕暉無語；山立千峯，海納百川。

「春之海」是我的第十六本詩集。這本詩集涵蓋了卷一、「春之海」，卷二、「風雅四十一」。卷三、「鄉謠之什」。卷四、「九歌」，卷五、「詩緣小記」。這是我的抒情詩集，均近年之作。「風雅四十一」是上年初春寫的，表現新的心靈感受。對創作來說，「詩」才是我眞正的鍾愛，情到深處無怨尤，詩的「海」，是我自由地泳游的所在。也是我的愛與執著的光源。夏秋之季，最新的詩作是「十二個月亮」。

民國二十九年我開始走上寫詩的路，到七十九年，實實的已寫過了五十個年頭。赤子的少年的眞誠，如今仍在我的心靈激盪。詩藝術不老，人亦不會老的；如果我是一棵不死的樹，纏繞我的，就是根深葉茂的詩。是爲「詩緣」小記。

八十年春天於望海樓

劉㕓兄最早的一封信

志健吾兄：謝謝您的惠贈大著，但不是騙您「祖國在呼喚」我早已在另一本文藝刊物上拜讀過了轉載的全文，而且不止讀了一遍。

對於新詩來說，我覺得我自己是一個百分之百的門外漢，所以不敢隨便發表謬見。不過西洋詩我倒也讀過一些並且也翻譯過不少，我覺得西洋詩有一點好處：就是帶給讀者一種美麗的旋律，不管是聽得見的或聽不見的（濟慈在他的「希腊古瓶賦」中曾認爲Unheard Melody比Heard Melody更好，這當然又不可以一面而論），總之任何一首詩無論它是有韻腳或無韻腳的，有格律或無格律的美的旋律總是具備的，否則它只是一個「字組」A Group of Words而已。

中國新詩的發生與發展，不能否認地曾經受着西洋詩的影響甚多，甚至今天還有人專門寫十四行，十八行，或謹遵A.C.B.D.E.G.F.H.I.J.或A.B.C.E.F.G.D.H.的詩韻格律，眞正能夠樹立一種風格的東西，實在太少了。「祖國在呼喚」至少在不受傳統西洋詩藩蘺的約束這一點上是成功的。但它同時也具有西洋詩的好處，有着美麗的旋律，無論朗誦或目誦都會使你感覺到。

我很慚愧對於一種藝術作品的領略常常不夠深刻，因此我自己的作品也是十分膚淺的。不幸這種膚淺的東西竟給「大家」的您發現，自己眞是太出醜了。我虔誠地希望您在新詩這一方面多給我一點啓發；同時對於一般文藝的欣賞我也同樣地盼望着高明的指示！

「五百完人」何時公演，我願意做它的第一個觀眾。因爲我也曾經替孫總司令寫過一篇五百完人成仁招魂塚的題詞，所以他們對於我並不陌生。

「中華文藝獎金委員會」最近還在徵求着什麼作品嗎？它是否經常都在徵求還是有定期的？如果有「徵文簡章」一類的東西盼寄下一份，如果沒有，盼即就您所知者見告。因爲我也很願意利用應徵的機會來逼着自巳練習寫作，聽說十一月十二日尙有一次徵文，不知道是徵些什麼？應徵的手續是什麼文章要寄到何處（通信地址是什麼）這些都盼您能賜告。

最後我告訴您，我在下月中旬右左可能調往台北，那時我就要去拜訪您而且敲您的竹槓了。許家駒最近曾會着嗎？他現在聽說專心寫作，而且非常用功；老友一個一個都有進步，只有我在向後退，眞汗顏也，匆匆，幷候覆信　敬

祝

安好

闔府同此問安

弟
垕敬上 四十一年八月十九日

覆信請寄：「鳳山陸軍總司令部研究委員會」弟收即可

趙滋蕃兄評「自由之歌」的來函

予兄如晤：

自由之歌已仔細拜讀過了。我願意將我個人的看法寫出來供您參考。

台灣詩人的集子，流傳到海外來的並不多。年前曾讀過鍾鼎文先生的行吟者，月前才讀到覃子豪先生的向日葵與兄作自由之歌而據朋友的來信，極稱道台灣詩人創作精神之旺盛，惜海外僑胞無法看到，誠一大憾事。因爲，今日之詩，已非山林隱逸之事。詩人的熱力與光照，其輻射面及吸引圈，必須盡力之所及向外擴大，詩人的力氣，才不致浪費，詩人的激情，詩人的智慧，才會產生更爲深遠的影響。這自然是題外之言，我想，此建議或可予以考慮。

關于自由之歌，謹從詩的語言，詩的形式與詩的意象這三方面，先作一番分析的研究，然後再作綜合的鑒賞。先談詩的語言。

詩人生活在生活之中。就空間言，他不能與大自然絕緣；就時間言，他不能與古今中外的靈智隔斷。故詩人的語言，其廣大若海洋，其深沉若天宇。詩人歌詠無可減約的、最原始的事物，詩人的筆就是劍，鋒芒直楔進人類罪惡的深淵，而將人性中之至善、至眞、至美者，直裸裸地挖出來。讓遐思馳騁于意緒，萬古出沒于毫端，遂以通幽微，達博大、高明，悠久之境。詩人的語言，自然，樸素而又眞實，它來自對大自然音響與人類語言的模倣，但也不是全部的模倣，其獨創性在新藝術領域中，依然是最高的。詩應該給與豐富的想像力以崇高的評價。

自由之歌在這方面，最有成就的。如：

它伸手摘下，
那斜在天邊，
縫在黑紗長裙的夜幕上，
最後一顆鈕扣的星；
於是，那黑紗的長裙脫落下來，
顯露出娛人眸子的，
畫鏡的萬里晴空。（原書第九面，陽明山之晨）

這些詩行，在節奏上十分佻達，形象鮮活，是上乘之作。又如：

從田野來的，
海水一般波到無邊的禾苗；
招迎的檳榔樹的綠色手掌，

小小山崗引伸上去的路，
鳥唱在電線桿上如五線譜上的音符；
而籬邊的喇叭花，
正吹奏一隻進行曲。
（原書第十七面，迎新年與春天。）

這些詩不是口語，不是模倣大自然的音響，然而，以畫入詩，水乳交融，確是好詩；而末兩句尤佳。盼望當代詩人能朝這方面下功夫。又如：

好像那莽撞的瀑布，
從懸岩的絕壁傾瀉；
聚集在山谷的深處喧嘩。
好像那不安靜的浪花，
推擠着流過險巇的江灘
洶湧地高聲相喚；
那河流與河流在奔騰，
向海洋無邊的懷抱。
也有暴風雨的黑夜，
閃電的金鞭狂抽着烏雲，

急雨如箭鏃亂飛，
雷鳴的可怖的吼聲，
震裂了群山的沉默；
叢林如亂髮的狂舞，
萬物都在嗚嗚地呼號，
喪失掉和諧與恬謐的自由。
（原書四四—四五面，歌者之歌。）

簡直像狂板（Sostrunto）交響樂章。形象雜遝而來，唯詩人的語言，才有如此的複雜性。唯眞正是詩的，才不致于顯得擁擠和蕪亂。詩人必須苦練駕馭語言的功夫。

但有若干地方，我以爲尚欠妥善。如陽明山之晨第十一面上的那兩行「乃因係」，走漢鐃歌的道路，讀起來頗有生澀之感；而這兩行並非必要，刪去亦無妨礙，反使詩篇更爲乾淨。又如二等兵的情人第二三面開首四行，不像詩的語言。不過，這樣的例子不多見。若求全責備，當談到詩的形式了。

我前面說過，台灣詩人的詩流傳到海外來的不多；而我看到的尤其少。即就三數本詩集而言—恕我以蠡測海，以偏概全—我發現台灣詩人的心血，是十分之化力氣於他們的作品中的。這一點誠然値得讚揚。但詩人們在選擇詩的表達媒介上，似以自由體抒情詩爲主要特徵。詩人感事而爲吟頌，自以此最便當。惟纖細之病究不能免。兄詩粗獷有奇氣，一涉大篇章就難免是拘牽。如以自由之歌集中之誓詞一首爲例。這本是首好的敘事詩題材，以劇詩的形式出之，予讀者以不夠完整的印象。因前半部爲直接呈現方式，而後半部全是詩人的抒情和感慨，破壞了藝術的統一性。若全部以第三者敘述的口吻寫下來，這毛病就沒有了。賢之如兄以爲何如？

意境與形象的融鑄不獨牽涉到詩人的學養，生活經驗，人生態度；抑且牽涉到詩人的靈才。這些地方本難於道出。所謂「意象言表之外」，只能細心揣摩，且各人所得者差異甚大。我對于自由之歌之鑑賞，以此最當意。面對生活，不是面對技巧；楔進時代的底層，不要浮遊在時代旋風之外而冷眼旁觀。這是條藝術之路，雖漫長但並不會使人疲倦。謹以此爲作者祝福。

弟滋番上　四十四年十一月十八日

(一)此信在必要時可刪改作書評發表。

(二)季長者的歌還未寄到。

與上官予談藝論詩

顧獻樑

上官道兄案右 十四到高雄來，今天十七回臺北，此刻上午十點差五分，觀光號車才從高雄開出不久，顛沛教你本不好認的字跡更加歪倒，相信你會原諒。臺北臨走前，已拜讀大札，高誼盛情，愧感交加！在高雄作客三天，天天想給您回信，忙忙遲遲躭擱到今天，十分難過！二次回國以來，因稿子事，沒寫好一篇自已認爲可以及格的文字，那些不及格的東西都是急就章，限時限刻，怎麼能好？只可以說，語短心長，文簡意繁。如果朋友們肯賜我從容，我絡絡續續會把沒說透澈的話說透澈它。表面上，似乎我做學問，客氣的說很廣博，不客氣說很駁雜，其實我心目中只有一個題目：在二十世紀的今天，我們中國人怎樣在文藝方面新陳代謝？包括受祖宗的遺產和外來的影響。詩的情形自然也在我注意之列。記得勝利那一年的一月在自已編的「藝聲」（重慶出版）的創刊號上，我寫了一篇「新詩的問題」，本來預備來一個引論，繼續不斷的寫下去，成功一部完整的冊子。後來因爲雜誌每件來稿一直很多，備而不用的自己的稿子就一直壓了下去。後來急轉直下的「慘勝」，後來還都，後來因爲個人的執拗新聞事業不可爲而悄然去國，我想不到便是十多年，等到三年前第一次回國，看到詩壇十分蓬勃，心裏十分興奮，一般水準的確遠比大陸時期高明，雖然傑出的大家沒有，或者很少。量也是質的一面或一部分，我是極樂觀的。其實，在各門新藝術裏，我寫新詩辯護遠比新畫新樂來的早。遺憾的是：今天新詩還須要辯護，一如新畫新樂，下一天的問題仍然是我三十四年（十七年前！）所討論的問題；可喜的是今天爲新詩辯護的朋友多了，不一定需要我多嘴，何況他們辯護的比我更好。一度，在勝利以前，我是全國搜羅新詩最多，最講究版本的人。出國以後便中斷了，現在即便是中斷以前的搜羅也都陷在上海家裏。這十五年來的臺灣詩壇，我努力在認識，但是因爲一直在國外，有好多地方免不了陌生。至少我心有餘故陌生變做不陌生。所以，我請求您：㈠留下您自己比較詳細（不，越詳細越好！）的年表，當然包括作品在內，㈡寫下何處可搜購全部大作。我願意從頭拜讀起。我這口鐘的鑄製也許不高明，質地也許不好，音色也許不動聽，音亮也許不夠宏亮，但是，有一點是不會教人過分的失望。「大叩大應，小叩小應。」古藝術品運美展覽，花了我一年光景的功夫，前年陰曆除夕，把那二三一件國寶送到基隆碼頭。從此以後，我一直在籌畫兩件事：㈠中國文化觀光中心，㈡中國藝術研究院。兩件事沒做過任何宣傳，然而，我們的祖國是一處相當奇怪天下無雙的地方，不宣傳已經有人在打擊了。儘管兩件事辦不成功對誰也沒好處，辦成功對大家也許有些好處，至少沒壞處。自然即便我不籌畫那兩件事，採居簡出，不好交際的我，因為提倡新畫，新樂，新舞，也早已備受口誅筆伐。當然我也不在乎或簡直不在乎。我什麼都沒有，我只有一顆信仰文藝的宗教心！沒有這顆宗教心，如果我好名好利好權好勢力，我早就倒下去了。那個研究院在計畫內要辦十個研究所，中間有一個便是文學研究所，自包括詩歌，研究所的課題都是藝術史的，而目標都一致是「溫故而知新」，同時溫外而知中。三年以來，我在繪畫上打了一個硬仗，我絕對不敢說這個仗已經打勝，只可以說，三年前我絕對不敢說這個仗已經打勝，只可以說三年前，二年前，一年前反對新畫的，現在好些已經在說：「我們不反對新畫和抽象畫，我們不滿意有一些畫新畫和抽象畫的人的態度。」三年前，說我是從天而降（就是沒有根子的意思）的華僑，不識中國字，不懂中文，只會說洋文，不會說國語，甚至想把帽子套在我身上，最近說是「思想沒有問題，恐怕民族意識，國家概念不夠。」云云。剛才在高雄車站看到「皇冠」（我並不喜歡它），不能不教我生歡喜心！再看看作品。「功學」，「銅礦」（礦業公司編印），某一期的「曉音」，已經停刊的「筆匯」，那些抽象封面，雖然只是一個開端，也總還是可喜的。抽象畫永遠不會全部替代具象畫，但是我們必須趕上抽象時代！至於新樂和新舞風氣的轉移不難，要緊的是有一兩個鈕必須撥轉過來。新詩的問題今天恐怕不在有沒有人反對，怎樣應反對，而是新詩怎樣寫出：又新又中國的詩來！我想，一般的詩人必須更進一步的深入中國古詩詞曲，會一切韻文文學以及有詩意的散文文學，同時也必須探入外國古今詩。也還是那句話「溫故而知新」，溫外而知中。搖擺的車，搖擺的手，擔任（駕御）者一定非常吃力。您的詩等我全部讀過，再約期面談，到時候定必奉約歡聚。匆此祝福！愚弟顧獻樑謹復　五一•四•十七

論上官予及其詩

于還素

一

去年自由中國的詩人們，爲了紀念十年來詩人們的收穫，中國詩人聯誼會編了一本「十年詩選」，由上官予（王志健先生）主編，這本詩選，我偶而讀到一些，覺得自由中國的十幾年來的成就：詩，可能是最顯著的一個，中國文藝協會，有新詩研究班，雖然詩人不是由研究來的，但作爲文化運動的一環來看，事屬荒誕，但確也有它的必要，這一措施，等於肯定的，明白地承認：人有成爲詩人或稱爲詩人的權利，無形中也把詩人和詩普遍化，它的成就，目前估計當然嫌早，一定要在另一個十年之後，才能顯露出它的端倪來，上官予先生主持該班，詩人鍾鼎文、紀弦、余光中、覃子豪等諸先生，都在該班授課，我對於這方面的辦理情形非常陌生，老實說，我在旁邊有時甚至於感到好笑，我不是說這些位有成就的詩人狂妄，我是說，何以居然有些人去研究詩，這是臺灣的特殊情況。一，此間的大學，詩人們沒有機會走進去，二，社會上的確有精神上饑饉的感覺。詩，並不是醫治饑渴的，臺灣的學院派教授們，幾乎沒有一位是詩的作者或是詩人。一些愛好文學的青年朋友們，只好「加班」了。現在臺灣的詩壇，正在春秋鼎盛階段，我相信十年以後，可能會有偉大的詩作出現，這是值得期望的一件事。

我這篇文字的題目，原來寫的是：「滅絕以後的顫音」，我想在上官予先生的詩作上尋求解釋，中國白話詩運動已經四十年了，大致上，我們斷定由五四開始，是沒有疑問的，如果把四十年的新詩運動比喻爲：明明滅滅的閃光，那麼我所說的「顫音」，就是凄風苦雨之中的閃電，它透過黑暗，總算也給了人們一些不見得眞實的溫暖，近四十年來，地球上沒有一個國家，像中國這麼可憐的了，在動亂中要求動亂，在昏睡中要求昏睡，淸醒和混濁是同時板蕩的，於是詩人的詩，藉著不同的流派、族屬產生出來，有人曾把中國白話詩運動分成幾個時期，如果用動物來形容的話，是燕子，烏鴉，麻雀，猴子，鸚鵡，也可以把中國新詩的四十年寫成神話，白話，謊話，假話，就沒有一句是能把中國民族的「內在」表現出來的。

劉半農，康白情的作品，是燕子時代的呢喃，胡適，陳獨秀時代的是烏鴉，徐志摩的作品比較文雅了，瑣碎是它的毛病，嘰嘰咕咕地像麻雀，猴子時代的詩，是聰明和沉默，現代詩的「視覺主義，」就是這一種，猴子的聰明是能用「眼睛看，」但它發不出有語意的和聲，至於鸚鵡這一段，我們先不講，它的模擬迴聲，文字鮮明，語言含混，比前面的幾種固然羽毛高貴，但創作的能力卻在喪失中。在這利用動物形容詩的成長過程，並不是我自己居身於詩人行列以外，作客觀的苛刻之詞，我覺得：非這麼形容不足以說出痛苦的所以然處。如果讓我選擇的話，前三者都可以，只是不能當鸚鵡，因爲它離開現實的泥土既遠，飛又飛不動，不上不下的說假話，是詩的大病，它是介乎寫實與浪漫之間的動物，猴子雖苦，而它的表情，能表達出它的喑啞來，麻雀和烏鴉，雖然都是害鳥，就它們對於農業的民族來說，總不至於讓人人晏起和一直做夢的。

二

希望之破滅，遠較感情之滅絕更爲悲哀，上官予的詩是滅絕以後的顫音，代表了中國人感情滅絕之後的呼聲，儘管它是微小的，但卻能在殘破中見到了希望的感情的起伏。

上官予先生，是當前的著名的詩人之一，他爲了詩的成長，曾謙虛地要我對他的詩做一次嚴肅的批評；他說目前中國非有高瞻遠矚的思想家，對文學加以嚴格的判斷，然後才能有所做爲。這種求眞的精神是很難得的，老實說今天中國的作家們，多少都犯了一點虛驕的毛病，上官予的態度，是他澈悟了作爲一個詩人並不是一件簡單的事情，我對於他那種擔任詩的教授工作而不以盟主自任一點，頗爲心儀。他和我通了幾次信之後，我總一直認爲，「批評」兩個字在今天還是少用較好，因爲批評在今天的印象中，一般人頗爲含混，並不知道批評本身，就有更多於創作的分門別類，不求眞的批評，等於幫閒者流，這種文字，徒增人們煩惱。何況我不是甚麼批評家，是一個純粹的欣賞者呢！

可是問題就在這裏，欣賞者有時也要鼓鼓掌的，這是對於作品的反應，沒有反應，在生理上談是不健全的，但上官予的詩是求健全的（看他的本名就可以知道），我在某一刊物上讀到他的長詩，名字是「殘缺者」時，他曾經要我對於這詩表示意見，後來又看到他的另兩首長詩，一首是一千行的「季長青的歌」，一首是一千五百行的「孤女」，這兩首長詩，是中華文藝獎金四十二年和四十三年的得獎作品，我想得了獎了就夠了，我這人很怪，諾貝爾獎金，我都不喜歡，我以爲它有火藥味，一個軍火商人的遺產，還是讓他自已去贖罪吧！外行人怎麼可以獎勵內行人呢？當然，文獎會是例外，火藥味道是沒有的，可是畢竟沾上「獎」字了，我再說好，沒有意義。現在我只就他的幾首近作，寫出我的感想。

這幾首詩是：「新店溪下」，「子夜雨」，「醉」，還有一首沒有發表過的「雙眼」。

上官予的詩，和覃子豪的詩一樣，有中國傳統詩人的手法，每一首作品，都有女性形象的假想，這種假想，是一種感情的化裝。他是北方人，我們可以從他的詩的懷鄉成分看的到。感情的化裝，對於詩人來說，是一種修辭的方式，中國古代詩人，鬱鬱終生，不能一展長才的時候，往往就把自己寫成女人，就現代語意來說，這是「人格的轉位」，人本主義的民族，總不願意把自己「轉位」爲其他動物，所以中國哲學家的那些「物我如一」觀念，在文學領域裏，表現的並不太多，詩人轉化爲女性，可以說是極原始性的，加上詩人的美化，自然讀起來感覺深刻，印象體貼，同時人的形象，人總是容易瞭解的，在喚起讀者想像上，是一個求「完整」的最好手段。

三

談起「轉位」來，中國當前的詩人瘂弦，是一位有特殊風格的，它的轉位方法頗爲戲劇化，於是有人說他的詩，頗爲突兀，有童話的奇異感覺，其實這是不明白現代詩的技術。這個詩人的「我」，可以變成千千萬萬個，詩人不能只是在人的稱謂上，只有「你我」，像兩個人在對話似地就夠了，還要能有物與我的互相對位才可。上官予的詩在男與女感情的轉位上頗爲靈活，灑脫，我聽過他唱的小調，他是詩人，是歌者，歌唱家在控制音量時，就會體驗到詩的轉折技術，就是把「聲音的轉位」應用到詩的「轉位」上，現在我舉他的「子夜雨」爲例：

垂下來，天在洗她的頭髮，
而星做了她流淚眼睛的姊妹；
用一方手帕，頻堵她臉上的瀑布。

她的耐性是乞愛的女子的；
因此，她不能停住；
便把她的髮繫在稻穗上，串在珍珠上。

看得見的，只有她在閃光，
且用她的指，觸及地面的天河；
好冷的小手，正是那哀歌。

而航在小丑的音色裏的，
是走在蘆花叢，我的孿生船；
它們交替，踩出接吻時的音響，

碎裂的蘆管也是這樣。

森林都睡了，
在她們交頸的懷抱，
在瑟縮的黑土上；
用她的大衣庇護野獸，
牠們便做亙古不變的夢。

而我的頭髮俯向我，
觸及我的思想；
聽它運行時痛苦的悲嘆。

我在找尋
太陽遺失的羽毛；
因此，我不睡。

這詩，先是詩人把雨和頭髮，聯想在一起，然後又把頭髮（雨）繫到稻穗上，「串到珍珠上，」這是形容雨珠的晶瑩，然後，「星星」，「眼睛」，「

雨」，「閃光」，都成了「淚」的意象，淚，落下來，成了涕淚滂沱的天河。

詩人在咒咀甚麼，於是小丑，（意大利音樂家利宏卡伐洛長存樂史的歌劇，一名「漂泊演員」）孿生船，（可以交替的）踩出接吻（磨擦）的聲音，「蘆管碎裂」了，「也是這樣」，當然也有聲音，再往下看：「森林都睡了，」「在他們交頸的懷抱，」「在瑟縮的土地上，用大衣庇護野獸，便做了亙古不變的夢。」等等，完全用象徵手法，說出詩人對時代的憂傷，對故土的眷戀。我們丟開這詩的裝飾方法不談，單說轉位，一直到最後的第二節，「而我的頭髮俯向我」時，才觸及到「我」字，「我」是怎樣感覺到的？是「觸及我的思想」。

詩人眼睛看到的是向下落的「雨」，「閃光」，「頭髮」，聽到的是磨擦的聲音，哀歌的調子，痛苦的悲嘆，稻穗的珍珠，又聯想出雨的艱難，然後再尋找「光明的尾巴」（太陽遺失的羽毛」）因此，詩人不睡（在子夜）。

四

我怎麼樣來解釋這首詩好呢？難道說詩人期望的就是那麼輕飄？「轉位」（祇是在該睡的時候醒著？），前面的敘述，祇得到一個「等待」，「女性化

「宇宙一次嗎？在效果上說只是爲了悲哀，黑夜裏如何可以找尋到太陽？它包含的生活的意義，才是深一層叫人沉思的。我們再看看他的「醉」：

沐浴於八月之晨，
八月的海水撫人肌膚；
迷離於少婦白紗的面巾，
和她搖蕩的臀部。

夏之月的銀髮濛淞，
灑在叢葉間，落在地上的星星；
雨針長密的，唧唧小語，
織著一萬匹布。

市上，喧囂遙遠。
軟的路面上昇著；
彎的電桿，釣魚的繩；
而高樓的窗口，俯身狂笑；
霓虹的霧，裝飾著時間的灰塵，

三輪車跳著卡力騷，
汽車踱著蝸步。
蚯蚓，赤道，非洲土人，金錢豹……
而獨行的影子，
在曠野才有夢；
他是飛向太空的，
第一個火星的探訪人。

這首詩，是作者主觀的醉的印象，一直到「而獨行的影子」爲止，下面就是客觀的敘述了，這詩似乎前兩節是寫鄉村，後一節是寫都市，時間上第一段是早晨，後兩段是夜，由於是醉，所以在風格上由樸素的抒情意趣，變成荒誕的粗獷，好像一個鄉村人到城市來的感覺一樣，「醉」是寫「迷醉」的，迷醉於市塵，迷醉於遠方，迷醉於飛躍，迷醉於「新的神話」，太空的……這詩，大體上說來，作者可以自由地控制住文字的氾濫，因爲作者是清醒的，有「獨行的影子」的孤獨感，有「曠野上才有夢」的空間嚮往，比轉位的古代詩人造做習氣好的多了，感情上已在開放。第三首詩，據朋友告訴我，是一首引起很多人談論的詩，是「新店溪下」，這詩，可以說明我寫的題目了。

五

日影移過，
戀也死亡。
黃昏的情熱就此頹落，
我的愛人的奇異的眼睛，
注視著我額上的暮色；
我插在他髮上的花，
現在已經枯萎了，
一瓣瓣，一瓣瓣，寂臥泥沙。

時間消逝，
妳在那裏？
我注視著清澈的溪水，
我的腳趾觸著流去的昨日：
輕柔的風啊！

你曾吹拂我的頭髮；
在髮似的樹下，
白蓮仰望，
夢正開放。

那就是他董花般的笑容，
此刻已經靜靜休憩；
在我的淚痕裏，
思念嘆息。
晚星照著，
戀是白骨。

這首詩，到目前爲止，就我所見到的他的作品中，該是他的代表作。萬念俱灰，情思皆寂，非有澈透的人生體驗，寫不出這種好的詩來。這首詩寫希望之滅絕，寫生命之轉化，寫夢的凋落，寫人生的寂寥，都到了一定的程度，有過去的讓它過去了的灑脫，尤其是「晚星照著，戀是白骨」，看到了人生眞正空白與寂寞，這首詩，實際地說，有希臘神話「水仙花」的影子，但是作者在自憐的感傷基礎上，否定了美的形象，肯定了美的純粹，淘汰煙火氣，使這詩寫的非常成熟。

感情的爐鍊，鎔鑄之後，表現在文字上，就會沒有渣滓的，這個時代，是一個毀滅過的時代，詩人的感情必須在滅絕之後活過來，才能從頭看到昨夜。顫音，雖然尾聲是微小的，但在物理學上，音是空氣的產物，甲方的震動如果和乙方的震動距離和空間準確，這甲乙兩者，就會互爲奏鳴下去。變爲不停的吼聲。

六

最後我把他寄給我的一篇還沒有發表過的「雙眼」記在這裏：

我的臉上有孿生的雙月
左眼是泉，右眼是花
泉和花，彎彎相望。

日影移過，
歲月無常；
泉因零落而悲傷，
花因幻想而快樂。

花愛生活在自己的淚中，
泉爲愛才有歌唱；
花把思念默默憔悴心上，
泉的流也只爲了萬象寂寞。

即使是唯一的花也不能久長，
何況風的嘴啄著水波；
時間的鳥消瘦，
寫詩的人充滿苦痛。

花瓣兒在秋天飄零，
泉水也只賸下一顆淚珠；
她們分別時眷眷難捨，
只知比目的戀，也要埋葬。

這首詩是寫眼睛，用它們寫悼亡哀失的感傷，但我們知道，眼睛之所見者，一面是花，一面是泉，詩人寫的一面是美的幻想，一面是愛的追求；看出來人世的無常，詩人的快樂，是「泉則爲愛，才有歌唱」的愛，而因萬象皆寂寞，愛的奉獻才更珍貴。這種感情是一種視覺的擬喻，雖可以看出詩人對人生的哀矜，但爲了愛，在創痛裏蘊育著詩情，精神要統一。詩，是想像的生活，詩的構想是生命的形象，不可以和自己對立，和自己對立，詩人必有兩重痛苦。詩人生命和時代不和諧，詩人和自己也不和諧，只有在生命的劇烈震動時，才有這種現象。我期待著上官予先生的詩，這裏該是另一個生命的起點。不要爲已逝去的落淚，更不要爲理想的幻滅而凄愴，因爲上帝生下來我們之後，就把我們丟到地上了。

附記：本文草成之後，詩作者曾一過目，惟最後「雙眼」一詩，原作者在發表時曾有修正，特將改者錄此，讀者可以作一次有意義的比較：

面鏡（原題「雙眼」）

我的雙目是孿生。
左眼是泉，右眼是花；
彎彎的戀般相望。
每個春天都不同，

每個秋天都一樣；
花因幻想而快樂，
泉爲寒冷而悲傷。

花愛生活在淚中，
泉則爲愛歌唱；
淚使思念豊盈，
泉的流，訴說著萬象寂寞。

花爲何展瓣？
是否爲了那風的啄木鳥？
時間逐漸消瘦，
寫詩的人，心有創痛。

花爲美而飄零，
泉最後也只剩下了一顆淚珠。
（按上官予即「舒靈」，環境變遷，人事更易一嘆！）

五十二年二月六日至十一日「香港時報」連載

中國的現代詩，現代的中國詩

——讀上官予的《春至》

古遠清

上官予（另有筆名舒林等），原名王志健，山西五寨人。早期新詩作品，發表在謝冰瑩主編的《黃河》雜誌上。自一九四五年起，著有詩集《海》、《祖國在呼喚》、《自由之歌》、《旗手》、《千葉花》、《愛的暖流》、《春歸集》、《春至》等長短詩十多部。還主編過詩選《偉大的母親》、《十年詩選》、《我們狂歡的日子》、《六十年詩歌選》等數種。劇本有《秦始皇》、《夜渡》等多部．作者還是一個文藝評論家，論著有《五十年來的中國詩歌》、《二十世紀中國詩歌》、《文學論》、《傳統與現代之間》、《現代中國詩史》、《秋尋集》、《文學天地人》及《三民主義文藝運動》等。一九七七年應邀出席英國劍橋國際文藝交流會議，名列《國際詩人名錄》。現任職於台灣行政院文化建設委員會兼國家文藝基金會總幹事，並在東海大學教授文學課程。他還爲開展新詩運動出過許多力，曾創辦過新詩研究班，設置詩人節新詩獎等。

上官予的《春至》，逾千百行，由《春花》、《芽苗》、《叮嚀》、《蹤跡》、《桑田》、《花魂》、《殘露》、《浪群》、《春泥》、《靜夜》、《蹊徑》、《細流》、《人家》、《原野》、《影痕》、《歸程》、《煙雲》、《種籽》、《暖流》、《思念》、《浩歌—莊子》、《懷沙—屈子》、《渾脫—李廣》、《拓荒—張騫》、《出塞—昭君》、《河梁—蘇武》、《劍膽—班超》、《回首》、《高人—王維》、《月華—李白》、《繁星—杜甫》、《關睢—文成公主》、《胭脂—忽必烈汗》、《蠶蛾》、《澄波》、《陽春—金門》、《山》組成。這裏選的六首，原載《世界中國詩刊》第五期。

詩題《春至》，是傳統基礎上的一種創造·中國的農曆，有《夏至》、《冬至》等節令，可唯獨沒有《春至》，上官予下決心要沖破傳統的束縛，讓春天的到來進入新的時序中。長詩雖然分三十七節，各自獨立成篇，但無論是氣勢還是情感而言，均爲有機的整體。

貫穿全詩中心的意象是沙塵。要理解這個沙塵，不妨讀讀晚唐一個佚名佛經篇的，後來保存在敦煌石室中的這首詩：

不揀山河大地
不揀日月星辰

不說三惡道中
不說十方世界
將來儘化作微塵
撒在空中處處勻
積聚微塵成世界
將來打碎作成塵
我佛身似三千界
煩腦猶如世上塵
世界本因塵土造
眾生能變作佛身
世界上　有塵埃
眾生身上有如來
佛與眾生不塞離
眾生貪戀卻轉迴

據台灣評論家羅宗濤的看法，這首詩的主題是「沙塵—世界，世界—沙塵」。上官予的新詩，則是「沙塵的長嘯，是沙塵的浩歌。這是一千一百萬四千一百九十四平方公里山河里的沙塵，是三千多年文學史陶養出來的詩篇」。（

《讀春至》）

《春至》主要寫一粒偉大而又渺小、透明而又混濁、雄偉而又愴然、頑强而又微弱的沙塵，在大千世界中艱苦跋涉同時又憧憬著美好明天的歷程。這粒沙塵，不妨看作是作者的自我寫照。上官予原籍山西，後來由於社會的動盪，他像一粒沙塵那樣四處漂散，由南京而安徽，經武漢到西安，由西安經鄭州到襄樊，一九四三年又回到河南南陽。爲了入伍，由南陽徒步經老河口到達巴東，然後搭船抵重慶轉萬縣。抗戰勝利後，詩人任開封《大河日報》副刊編輯，后復學南昌，又轉南京中央大學。一九四八年秋季再度入伍，然后如萬千塵埃墜落在寶島台灣。了解了詩人這段坎坷曲折的經歷，就不難理解詩人爲什麼這樣贊頌沙塵：

貼在大漠的沙塵
聽得見三千萬平方里外的戰鼓
看得見西伯利亞暴雨的闊步
也能感知太陽旗下
悽然回首　黯然離開的黃昏
沙塵遮住深莽的森林

沙塵掩住望春的小草
沙塵宣示不可傾撼的宗教
天地玄黃
宇宙洪荒
這就是它的踪跡
來無起點
去無歸處

然而，沙塵並不眞正想過《來無起點，去無歸處》的生活。它懷著對故鄉的綿綿思念，眷戀著「故鄉的雪，故鄉的月明」，下定決心要回到那《霜瓦老屋—綠柳荷塘人家》。不過，由於海峽兩岸並未展開對話和實行「三通」，所以「沙塵」覺得「春至」的到來未免遙遙無期，因而難免由一腔悲憤化作一片迷惘，由一種幽思化作一懷憂傷。儘管這迷惘和憂傷表現得非常含蓄，不易覺察出來，但通過「悲情咽住胡笳的節奏／琵琶伴著孤陋的青塚」以及「那殞落的不是慧星是——泡影—是——一粒—微小的—沙塵」的吟唱，仍可看出作者「獨愴然而涕下」的悽切情感。當然這怨憤和凄切並不是該詩的主旋律，貫串全詩的基調仍然是渴望冬天過去，春天來臨。所以全詩多處强調沙塵不怕雪崩與山坍的欺壓，如《花魂》之所說：

沙塵　四季八埃的流浪者
　只爲尋找自我而逃亡
　　乾渴燥熱如夸父
　　飛揚跋扈如雷電
沙塵　翻天覆地的騄驥
　　摘星攬月的鯤鵬
敻極綿邈的大宇
　綢繆　漩涌著
生命的渦流

《春至》這首長詩，是新古典主義的典範之作。它的意象大都來自於古典詩詞，除前面說的沙塵外，其它如夸父、鵾鵬、灞橋月、楊柳煙、均是典型的「國貨」。《春花》的對偶句也很多，如「山／茁壯著相思的莽林／水／流著流不儘的離情／山隱隱／是我們的面貌／水悠悠／是我們的神情」。這種句式顯然是中國文學的特色，西方詩歌中並沒有這種寫法。以全詩中所体現的《詩經》中「溫柔敦厚」的善和《楚辭》中可觸及的「悽艷哀怨」的美，也可看出作者深厚的古典文學功底。但《春至》又不是古典詩詞的重覆，而是延伸了傳統，突破了詩騷的局限，爲表達現代人的情緒大膽使用了現代技巧。這主要表現在「編織法」和「攝影法」。所謂「編織法」，除使用的素材富于質感外，最重要的是在經緯線背景上突出的花紋，及由此形成的意境。作爲詩的技巧，它並不强調繪畫效果，而只求有强烈的排列組合的節奏感。《花魂》寫風火光影，長嘯低吟，千巒萬谷，金聲玉振，就非常注意勾勒渲染，極儘編織之能事。所謂「攝影法」，「並非指攝影的繪畫性，而是指現代攝影機的廣角以及長短鏡頭技巧的選用─甚至顯微和X光鏡頭效果的選用」（舒蘭：《詩中疏鑿手》）。如《芽苗》與「茸如貓耳」、「綠如翡翠」、「稚嫩而柔韌」的芽苗，所用的便是顯微鏡方法．「一粒沙塵中／蘊藏著星月的默禱／一朵小花里／喧嘩著絕世的悲愁」，用的則是X光透視法。至于全詩反覆提及的「春至」，則有深厚的象徵意味。有人從中讀出了雪萊寫的「冬天來了，春天還會遠嗎？」的寓意，有人則以爲詩中的春天是希望的代表、愛情的象徵；小至個人，大至國家的統一和民族的團結都包括在其中。這種主題的多義性，正是現代詩的一個重要特徵，也是作者多層次地選用象徵、隱喻、移情和轉位的結果。

在風格上，《春至》筆力遒勁，超邁橫絕而又深遠精微。全詩節奏鮮明，氣勢磅礴，有不少章節奔放與輕靈交錯，雄渾與婉約互補，使人讀這首詩時如聆聽一曲內涵豊富的交響樂。總之，這是中國的現代詩，也是現代的中國詩，正如藍海文、丁平在《春至。附記》中所說：「今日的上官予，正朝著一座殿堂的拱門走去」——「新古典主義」，中國的。（《世界中國詩刊》第五期）七十八年十一月於武漢財經大學中文室。

上官予著作目錄

．海（詩集）　帶鎗者詩社　三四年
．創世紀（長詩）　帶鎗者詩社（中央圖書館典藏）　三五年
．勝利曲（歌劇）　軍中巡迴演出　三八年
．祖國在呼喚（長詩）　文藝創作社　四〇年
中華文藝獎金委員會民國四十年長詩首獎
．碧血丹心溉自由（戲劇）　文藝創作社　四一年
中華文藝獎金委員會民國四十一年多幕劇本獎，公演近百場
．五百完人（戲劇）　中華文藝獎金委員會　四二年
．戀歌（組詩集）　中國詩刊連載　四三年
．殷紅的雪（萬行長詩）　中華文藝獎金委員會（中央圖書館典藏）　四三年
．一夜路成（歌劇．黃友棣譜曲）　音樂出版社　四三年
．雅麗的生日（歌劇．黃友棣譜曲）　樂友社　四三年
．風情的毒蕊（長篇小說）　未出版　四四年

·自由之歌（詩集）　文壇社（甲、乙兩種）　四四年
內輯中華文藝獎金委員會給獎作品
·夜渡（戲劇）　春雷出版社　四五年
中華文藝獎金委員會給獎作品公演近五百場
·夜來風雨（獨幕劇）　正中書局　四八年
·溫暖的家庭（廣播劇一〇〇集）　中央電台　四九、五〇年
·秦始皇（戲劇）
中華文藝獎金委員會錄取典藏
五十一年台港影劇界聯合大公演
·荒漠明珠（戲劇）　正中書局　五一年
·旗手（詩集）　正中書局（甲、乙版）　五四年
內輯中華文藝獎金委員會獲獎長詩季長青的歌、孤女，殘缺者及短詩同仇集。
·五十年來的中國詩歌（文學理論）　正中書局　五四年
葛賢寧先生臥病，代其寫成此書。
·二十世紀中國詩歌（文學理論）　正中書局　五五年
·文學論　正中書局　五六年

五十七年獲嘉新文化基金會頒贈學術優良著作獎，同時獲榮獎者有任卓宣，錢震等先進，王雲五先生頒獎。

·林希翎（戲劇） 改造出版社 五七年

·千葉花（詩集） 商務印書館 五七年

·荆軻（電視劇十二集） 中視「一代暴君」演出 六三年

·傳統與現代之間（文學理論） 眾成出版社 六四年

·現代中國詩史（文學理論） 商務印書館 六四年

·愛的暖流（詩集） 商務印書館 六八年

六十八年獲國家文藝獎。其中「紮根與開花」並獲文復會第一屆金筆獎

·秋尋集（文藝理論） 民眾日報社 六八年

·上官予自選集（詩集） 黎明文化公司 六九年

·文學天地人（文學論評） 黎明文化公司 七〇年

·春歸集（詩集） 商務印書館 七一年

·齊烈留芳（傳記文學） 近代中國社 七〇年

·三民主義文藝運動（文學論評） 國立編譯館 七三年

·春至（詩集） 中央日報社 七四年

獲七十四年中山文藝長詩獎

·五月（英詩集）　文史哲出版社　七五年

·詩與舞蹈（文藝論評）台灣省文獻會　七六年

·文學論（文學理論·增訂本）　正中書局　七六年

·文學四論（文學理論）　文史哲出版社　七六年

上冊輯新詩論·戲劇論

下冊輯小說論·散文論

·寒鐘歌（歷史劇集）　商務印書館　七七年

輯入易水寒·萬世鐘·大風歌三齣歷史多幕劇

·九歌（大歌劇）　梁銘越譜曲　七八年

·春之海（詩集）　文史哲出版社　五十年創作紀念集　八〇年

·中國新詩淵藪（詩評論集）完稿·付梓中

附註·五十年五十一年主辦「新詩研究班」

·主編偉大的母親詩選集　改造出版社　四九年

·主編十年詩選　明華書局　四九年

·主編我們狂歡的日子　改造出版社　五〇年

·主編六十年詩歌選　正中書局　六二年

·主編永遠的懷念　中國新詩學會　七三年

・參與編纂中華文藝史 正中書局 六四年
・主編文藝座談實錄 行政院文建會 七一年
・策劃中國文學講話十鉅冊出版 國家文藝基金會 七六、七七年
・策劃文學批評研討會論文集出版 台大 七五年
・策劃中國文學批評論文集出版 古典文學研究會 七七年
・主編中華民國文藝社團概況 七八年

評論補遺

・韓國新興大學文學部部長尹永春教授著「中國文學史」專論上官予的詩 白南弘、白映社發行 三十八年初版，四十年再版
劉𡨳先生四十一年的評論
・香港李文教授著「當代中國自由文藝」專論上官予 亞洲出版社 四四年
・趙滋蕃先生的評論 四四年
・顧獻樑先生的評論 五一年
・于還素先生論上官予及其詩（五十二年二月六日至十一日「香港時報」連載）
・文曉村先生著「新詩評折一百首」──「一隻白鳥」選自「愛的暖流」詩集 水芙蓉出版社 六七年

·梓園先生撰「詩園雙槳」論上官予「春至」　梓園　七四年
·鍾鼎文先生「讀春至記」　輯入「春至」　七四年
·韓濤先生「楚楚風致　激越情懷上官予及其詩——春至」　輯入「春至」七四年
·鐵陀先生「春至」見詩心　輯入「春至」　七四年
·舒蘭先生「詩中疏鑿手」　輯入「春至」　七四年
·「一隻白鳥」國中國文選第五冊　國立編譯館　七六年
·「王家坡」陳辛惠女士編選，國中國文輔助文選　七七年
·古遠清先生「中國的現代詩·現代的中國詩」讀上官予的「春至」　七八年
·上官予先生的「宛轉」與「明月」　古遠清　七九年
·郭玉文女士「中國語文」名著選介上官予「音樂」（八十年元月版）　八〇年
·凡是已經輯入「上官予詩選—作品評論擷要」內的評論皆未錄入此處。
·凡已選入大陸各地各種選集中之詩作及評論未錄入此中。

上官予入選國際詩人、作家、文藝家、名人錄

·中華民國名人錄　中華民國名人錄編輯委員會　六七年

WHO'S WHO IN THE REPUBLIC OF CHINA

·中國名人錄 行政院新聞局（英文版中華民國年鑑）六五至八〇年

·中華民國現代名人錄 中國名人傳記中心（中、英、日文版） 第一—三輯 七二—八〇年

·中外畫報第二五四期二二—二三頁報導入選英國劍橋國際作家傳記名人錄 中外畫報編委會（中、英文版） 六六年

·桂冠詩人詩葉LAVREL LEAVES專輯（第二屆世界詩人大會選編一九七三） 六二

·世界名詩人選錄International Who's Who in Poetry（倫敦劍橋國際傳記中心選編，一九七四—七五） 六三—六四年

·世界傑出作家名人錄DICTIONARY OF INTERNATIONAL BIOGRAPHY （1976 MELOPSE PRESS）六五年

·國際名作家玉照傳記（THE INTERNATIONAL REGISTER OF PROFILES）（World Edition 1977英國劍橋國際傳記中心） 六六年

·世界傑出人物MEN OF ACHIEVEMENT（1978 IBC CAMBRIGE） 六七年

·世界詩人代表作（9TH WORLD CONGRESS OF POETS MADRAS 1986 INDIA）

七五年

·一九九〇（World Poetry 1990）Editor: Dr. Krishna Srinivas India.　七九年